Ingrid Noll
Ladylike

Roman

Diogenes

Alle Rechte vorbehalten
Copyright © 2006
Diogenes Verlag AG Zürich
www.diogenes.ch
100/06/44/3
ISBN 13: 978 3 257 06509 1
ISBN 10:   3 257 06509 4

I

Ich hatte immer eine Nagelfeile im Auto liegen. Bei jedem Stau, vor jeder roten Ampel habe ich mir einen anderen Finger vorgeknöpft. Niemals habe ich Zeit vergeudet, immer war ich in Eile und bei allen meinen Tätigkeiten schneller als andere.

Heute ist es damit vorbei. Und wenn es mir schon schwerfällt, meine diversen Alterserscheinungen gelassen hinzunehmen, so trifft mich der Verlust meines Tempos am härtesten. Meine Tage sind zu kurz, um alles zu erledigen, was ich mir vorgenommen habe. Meine Lebenszeit reicht nicht mehr aus, um alle Bücher zu lesen, die in der Warteschleife liegen, um eine neue Sprache zu lernen oder um alle Leichen im Keller zu entsorgen. Und doch treibt mich so vieles um, selbst die zartesten Düfte können an bittere Kränkungen erinnern.

Wahrscheinlich sind die prächtig blühenden Fliederbüsche gerade wegen ihrer vergänglichen Pracht so beliebt; kaum freut sich die wintermüde Seele an den weißen, lila oder violetten Dolden, am süßlichen Geruch, an Vasen voll üppiger Zweige, da beginnt es schon zu rieseln. Erst sind es nur zarte blaßblaue Sterne, die auf die Gartenwege wehen, dann regnen sie massenweise herunter und kleben am Ende braun wie Teeblätter an unseren Schuhsohlen. Schließlich lassen nur noch dunkle Samenstände an den stets zu kurzen Frühling denken.

Bis zu jenem verhängnisvollen Abend vor 24 Jahren liebte ich blühenden Flieder und hielt unsere Ehe für stabil; ich schmiedete gerade Pläne für eine große Feier zu unserer Silberhochzeit.

Naturgemäß hatten Udo und ich uns im Laufe der Jahre verändert, aber wie hatten sich erst die Zeiten gewandelt! Die prüden Nachkriegsjahre, in denen wir uns kennengelernt hatten, sind heute so gut wie vergessen, viele junge Leute leben ohne Trauschein zusammen. Als wir uns 1963 *Das Schweigen* von Bergman ansahen, waren wir schockiert. Nach und nach dachten wir über viele Dinge anders als in früheren Jahren, trennten uns von Vorurteilen und besuchten im Urlaub sogar den Sylter Nacktbadestrand. Als die 68er revoltierten, fühlten wir uns schon zu alt, um uns noch für die umstürzlerischen Ideen der Studenten, und sei es bloß für die freie Liebe, begeistern zu können. Erst viel später erkannte ich, wie groß der Sexualneid in Udos Generation auf die später Geborenen war, wie sehr diese Männer darunter litten, daß sie in ihrer Jugend bereits zum Establishment gehört und mehr oder weniger stets mit derselben gepennt hatten.

Jener Sonntag im Mai, als ich den Fliederduft zum letzten Mal mit leichtem Herzen einatmete, hat sich in mein Gedächtnis eingebrannt. Wir saßen abends auf der Terrasse, denn es war noch hell und warm.

»Eigentlich sollten wir wieder einmal eine Waldmeisterbowle ansetzen«, überlegte ich, als mir plötzlich bewußt wurde, daß ich seit einer Stunde die Alleinunterhalterin war. Mein Mann hatte die ganze Zeit ins Leere gestarrt. Das war allerdings nichts Besonderes, wenn er durch berufliche Probleme stark in Anspruch genommen wurde.

Unvermutet begann er jedoch zu sprechen, und mir dämmerte, daß ihn die Maibowle nicht im geringsten interessierte.

»Ich muß dir etwas sagen, Lore«, begann er.

»Der Flieder ist fast abgeblüht, wie schade«, unterbrach ich ihn, denn ich hatte die Gefahr durch den veränderten Klang seiner Stimme erkannt. Um den Lauf des Schicksals noch für ein paar Minuten anzuhalten, holte ich einen Handfeger aus der Küche und kehrte die abgefallenen Blüten von der Wachsdecke des Gartentischs.

Doch dann gab es kein Entrinnen mehr, ich mußte mir alles anhören. Udo forderte die Scheidung, weil er eine wesentlich jüngere Frau ehelichen wollte; sie war schwanger.

Nur nicht heulen, dachte ich. Alles wird wieder gut. Nur nicht provozieren und seinen Trotz hervorrufen. Vernünftig bleiben. Wir haben bis jetzt noch alle Krisen überstanden. Er wird bald einsehen, daß er mich nicht einfach umtauschen kann. Sachlich bleiben, jetzt auf keinen Fall mit Porzellan herumschmeißen. Vielleicht sollte unser Christian seinem Papa mal die Leviten lesen!

»Ein Kind ist heutzutage kein Heiratsgrund mehr«, versuchte ich den ersten zaghaften Einwand.

Er schaute auf. »Für dich vielleicht nicht«, sagte er, »aber sie stammt aus einer erzkatholischen Bauernfamilie, da ist ein uneheliches Kind nach wie vor eine Schande.«

In diesem Fall kam auch keine Abtreibung in Frage. Lange war ich still. Meine Wut auf die fromme Bauerntochter, die sich einen Familienvater als Geliebten erkoren hatte, steigerte sich zusehends. Ich kannte Udo schon seit einer Ewigkeit, er war meiner Meinung nach alles andere als ein stürmischer Verführer, der sich an unschuldige Landpomeranzen heranmachte.

»Die hat dich reingelegt«, sagte ich.

»Wie auch immer«, meinte mein Mann unbestimmt, aber er freue sich auf den Nachwuchs. Als unser Sohn geboren wurde, habe er so um die eigene Karriere kämpfen müssen, daß er gar nicht mitbekam, wie schnell ein kleines Kind heranwächst.

»Kann man das im Großvateralter noch nachholen?« fragte ich.

»Bei einer Frau ist das anders«, belehrte er mich, »aber ein Mann ist mit fünfzig noch nicht alt.«

Diese Worte waren es wohl, die mich ausrasten ließen. Ich fegte ihm mit dem borstigen Handbesen die Brille von der Nase, und rannte laut weinend ins Haus. Leider ging weder die Nase noch die Brille zu Bruch.

Seitdem mag ich keinen Flieder mehr, ja der Frühling kommt mir von Grund auf verdächtig vor. In Annelieses Garten hat der Fliederbusch zum Glück bereits seine braunen Nägelchen angesetzt; hier blühen schon die ersten Sommerblumen – Rittersporn, Akelei, Rosen und Glockenblumen. Bald wird auch der wuchernde Felberich in fröhlichem Dottergelb leuchten. Meine Freundin und ich kosten diesen Sommer aus: Im Moment essen wir tagtäglich auf der warmen Terrasse. Meine liebste Jahreszeit ist und bleibt jedoch der Herbst, obwohl der Winter besser zu meinem Alter und meinen weißen Haaren passen würde.

Damals, vor 24 Jahren, waren meine Haare noch dunkel, aber ich war verzweifelt. Immer wieder hat mich Anneliese trösten müssen. Und dazu gehörte auch, daß sie mir unsere gemeinsame Zukunft in warmen Worten ausmalte. Meine Freundin hatte eine Tante im Altersheim besucht und war seitdem entschlossen, niemals aus ihrem Häuschen auszuziehen.

»Ein Leben ohne meinen Garten ist mir unvorstellbar. Aber was ist, wenn Hardy den Rasen nicht mehr mäht und die Hecke nicht mehr schneidet? Ich habe da eine Vision: Was hieltest du von einer Frauen-WG?«

Tatsächlich war ihr Mann, der eigentlich Burkhard hieß, nicht mehr bei bester Gesundheit. Anneliese war sich sicher, ihren Hardy um Jahrzehnte zu überleben, und sparte nie mit entsprechenden Andeutungen. Spaßeshalber dachten wir uns schon damals aus, wie wir als Witwen gemeinsam residieren würden: Sie sollte im unteren, ich im oberen Stockwerk je zwei Zimmer bewohnen, die Küche und das Kochen wollten wir uns teilen, die zwei Mansarden konnten unseren Kindern und deren Anhang als Gästezimmer dienen.

Alle paar Jahre kamen wir wieder auf unseren Plan zu sprechen, der jedoch auf unbestimmte Zeit verschoben werden mußte, denn Burkhard erwies sich trotz seines kränklichen Zustands als überraschend zählebig. Als er schließlich doch unter der Erde lag, wollte ich meine spät begonnene Berufstätigkeit nicht gleich aufgeben. Außerdem kehrte Annelieses jüngste Tochter nach einer gescheiterten Frühehe ins Elternhaus zurück, um eine Zeitlang ein kostenloses Studierzimmer zu bewohnen.

Nun sind wir seit vier Wochen glücklich vereint und meinen immer noch, daß es die beste Entscheidung unseres Lebens war, auch wenn sich einige Kleinigkeiten erst einspielen müssen. Der ganze Stress, den man im Zusammenleben mit einem Mann nun einmal hat, fällt völlig weg. Frauen sind belastbarer, friedlicher, kompromißbereiter.

Ein befreundeter Architekt hatte ein Konzept für die erforderlichen Umbauten entworfen. Für ein zweites Bad im Parterre hätten Flur und Garderobe verkleinert werden müssen. Viel zu teuer, meinte Anneliese, das könne sie sich nicht leisten. Selbst auf meine Rechnung wollte sie es nicht machen lassen, und auf keinen Fall wollte ich ihr zu spüren geben, daß ich besser bei Kasse bin als sie. Nun hat Anneliese zwar den Wohn- und Eßraum im Erdgeschoß behalten, zusätzlich aber im ersten Stock ein Schlafzimmer neben meinem bezogen. Das Bad muß ich mit ihr teilen. Mir wäre es anders lieber gewesen – aber, mein Gott, es ist halt nicht mein eigenes Haus! Und wegen solcher Lappalien werde ich mich bestimmt nicht aufregen.

Viel wichtiger ist mir, daß wir in der warmen Jahreszeit so oft draußen sitzen können, den üppig blühenden Salbeistrauch direkt vor unseren Nasen. Es ist lange her, daß ich selbst einen Garten hatte. Nach der Scheidung hat Udo das Haus verkauft, und später besaß ich nur noch einen kleinen Balkon.

Außer der Miete für meine Privaträume bezahle ich die Putzfrau und den Gärtner, der die anstrengenden Arbeiten übernimmt. Bis jetzt hat Anneliese schon oft und gut gekocht; wenn ich an der Reihe bin, greife ich gelegentlich in die Kühltruhe und schiebe ein Fertiggericht in die Mikrowelle. Einmal habe ich auch den Pizza-Service bestellt, aber das hält Anneliese für allzu frivol. Eigentlich führen wir ein paradiesisches Leben.

Mein Sohn Christian wohnt in Berlin. Als ich noch in Wiesbaden lebte, kam er auf seinen Geschäftsreisen immer mal vorbei, denn vom Frankfurter Flughafen bis zu mir war es ein Katzensprung. Jetzt ist das ein bißchen umständlicher geworden; trotzdem machte er auf seiner letzten Tour einen Abstecher nach Schwetzingen.

»Ich muß doch mal sehen, was du dir für ein Nest gebaut hast, und kontrollieren, ob ihr euch auch vertragt«, sagte er scherzhaft und ließ sich von der Mansarde bis zum Keller alle Räume zeigen.

»Vielleicht solltet ihr…« begann er zögernd, räusperte sich und überlegte wohl, wie er es diplomatisch ausdrücken könnte, »…vielleicht wäre alles noch viel netter, gemütlicher und praktischer, wenn ihr einen Teil der alten Möbel auf den Sperrmüll…« Er brach ab, weil er unsere entsetzten Gesichter sah.

»Nichts für ungut«, meinte er lachend, »ich wollte euch nicht zu nahe treten. Aber man kann sich ja kaum rühren! Jeden Winkel habt ihr vollgestopft!«

Er hat natürlich recht. Aber was soll man machen, wenn jede von uns nur ungern etwas wegwirft? Wir besitzen beide unseren eigenen Hausrat, angewachsen in vielen Jahren, ausreichend für eine komplette Familie. Bei mir kam noch dazu, daß ich durch ein Erbe fast alles doppelt besaß und mich so oder so von vielen Dingen trennen mußte. Vor dem Umzug habe ich zum Beispiel meine Küche einer Asylantenfamilie spendiert und bloß die Mikrowelle mitgenommen, die für Anneliese wiederum ein Fremdkörper ist. Doch auch diesen Schritt habe ich bereut, denn mein Herd mit intaktem Ceranfeld war wesentlich moderner als der meiner Freundin.

Christian wollte nicht bei uns übernachten, ein

Hotel werde von der Firma bezahlt. Ich habe ein wenig den Verdacht, daß er seine Frau betrügt. Aber das geht mich nichts an.

Nach gutem Zureden blieb er noch auf ein Gläschen Wein und wunderte sich, als Anneliese immer ausgelassener wurde. Schon vor vielen Jahren habe ich registriert, daß sich ihre Stimme verändert, sobald ein Mann den Raum betritt. Mit ihrer Munterkeit steckte sie mich an, und am Ende sangen wir für meinen Sohn Schlager aus unserer Jugendzeit.

Christian hörte belustigt zu. Er kannte aber weder *Die Fischerin vom Bodensee* noch die *Blaue Nacht am Hafen,* weder *Die Gitarre und das Meer* noch *Am Tag, als der Regen kam.* Bloß *Pack die Badehose ein* kam ihm nicht völlig fremd vor.

»Und die Beatles?« fragte er. »Gefielen sie euch?«

»Die sind zehn Jahre später an uns vorbeigerauscht«, sagte ich, »in den 60er Jahren hatten wir kleine Kinder und viel zu tun. Wir verpaßten wohl so manches.«

Doch Anneliese fiel mir in den Rücken: »Ich hörte die Beatles gleich zu Beginn ihrer Karriere und fand sie sofort ganz toll«, behauptete sie.

Leider weiß sie wohl immer noch nicht, wie langweilig es für die nächste Generation ist, wenn ihre Eltern von früheren Entbehrungen berichten. Anneliese mußte meinen Sohn unbedingt damit nerven, wie wir als junge Frauen täglich Windeln wuschen und aufhängten und wie gut man es heute mit Pampers, Waschmaschine und Trockner hat.

Als sie noch weitere ausgestorbene Hausarbeiten aufzählte, machte sich Christian auf den Weg. Ich hatte leider keine Minute mit ihm allein sprechen können, aber das ließ sich am Telefon nachholen. Und leider hatte ich auch ganz vergessen, ihn zu bitten, meine Nachttischlampe zu reparieren.

Heute rufe ich bei Christian an und erwische nur meine Schwiegertochter.

»Ich wollte mal hören, wie es euch geht und ob mein Junge wohlbehalten zu Hause angekommen ist«, sage ich.

»Und ich dachte, der liebe Junge weilt immer noch bei seiner Mama«, kontert sie ein wenig spöttisch.

Peinlich, denke ich, er hat zu Hause geschwindelt und seinen Besuch bei mir als Alibi benützt. Also schwenke ich schnell um, frage nach den Kindern und verabschiede mich. Dann versuche ich sofort, Christian übers Handy zu erreichen und zu warnen. Hoffentlich macht er nicht den gleichen Mist wie sein Vater.

Er tut ganz unbefangen. Ja, ursprünglich waren schon ein paar Tage bei mir vorgesehen, aber seine

Firma habe kurzfristig umdisponiert. Schnell wechselt er das Thema.

»Euer Haus in der Sternallee ist richtig anheimelnd, und deine Anneliese hat regelrechte Entertainer-Qualitäten.«

»Sie ist es nicht gewöhnt, mehr als ein Glas zu trinken«, meine ich entschuldigend, »aber findest du nicht auch, sie sollte endlich eine Diät machen?«

»Ist mir ehrlich gesagt nicht weiter aufgefallen. Sie gehört halt zu den fröhlichen Dicken, sicher tut sie dir gut.«

Was soll das nun wieder heißen? Sie tut mir gut? Bin ich etwa depressiv oder zu dünn? Ich verabschiede mich von meinem Sohn und hoffe, daß er meinen Wink verstanden hat und sofort bei seiner Frau anruft.

2

Es regnet ein wenig, ausnahmsweise sitzen Anneliese und ich beim Frühstück in der Küche. Sie hat sich richtig herausgeputzt, zum ersten Mal sehe ich außer dem Ehering einen kleinen blauen Saphir an ihrer Hand. Man müßte ihr allerdings mal sagen, daß sie ihre Fingernägel bei dem ständigen Graben und Jäten besser pflegen müßte. Ich bewundere vor allem eine Brosche, die mitten auf ihrem Busen prangt. Wenn Anneliese im Garten arbeitet, trägt sie wohlweislich keinen Schmuck und nur ihre ältesten Klamotten. Aber am heutigen Sonntag hat sie sich feingemacht oder sich zumindest Mühe gegeben. Sie hat nämlich versprochen, mich ausnahmsweise bei meinem täglichen Spaziergang im Schloßpark zu begleiten. Wenn es weiterregnet, hat sie aber einen guten Grund, sich zu drücken.

Bereitwillig nestelt sie jetzt die Brosche von der geblümten Bluse – auf der dieses edle Stück natürlich nicht zur Geltung kommt –, um sie mir zu zeigen. Sowohl an der Brosche als auch an der Bluse klebt ein wenig Marmelade. Eigentlich könnte sich Anneliese die Serviette auf dem Schoß sparen, da ihr balkonartiger Busen jegliche Kleckerei erst einmal abfängt.

Jahrelang war es mein Beruf, Antiquitäten aus Hinterlassenschaften aufzukaufen, den Preis zu schätzen und sie einem illustren Kundenkreis anzubieten. Antiker Schmuck ist mein Spezialgebiet, da macht mir keiner etwas vor. Annelieses Großmutter hatte diese Brosche zur Hochzeit erhalten, um die Jahrhundertwende wird sie wohl auch entstanden sein. Eine Muschelkamee mit dem Profil eines römischen Kriegers ist in eine blauemaillierte Fassung eingebettet, die mit winzigen Perlchen besetzt ist.

»Ein dekoratives Stück«, stelle ich anerkennend fest, »paß bloß auf, daß du es nicht verlierst.«

»Wieviel könnte man heutzutage dafür verlangen?« fragt sie, und in ihre Augen tritt jenes begehrliche Glitzern, das ich von meiner Kundschaft nur allzugut kenne: diese mühsam unterdrückte Gier, die sowohl Käufer als auch Anbieter überkommt.

»Die Fassung ist auf der Rückseite ein wenig verbeult«, sage ich, »und der Goldanteil ist vergleichsweise gering, das mindert den Wert. Wenn du die Brosche privat verkaufen willst, könntest du etwa 500 Euro dafür fordern, wenn man etwas Vergleichbares in einem seriösen Geschäft erstehen möchte, kostet es sicherlich etwas mehr, denn die wollen ja daran verdienen.«

In ihrem Gesicht spiegelt sich leichte Enttäuschung wider. Sie hat mit einem höheren Preis gerechnet, aber alter Schmuck ist bei jüngeren Frauen nicht mehr besonders in Mode.

Ich tröste sie. »Familienschmuck verkauft man doch ohnedies nur, wenn man ziemlich pietätlos ist oder am Hungertuch nagt.«

»Man muß den Wert kennen, wenn man das Erbe gerecht unter seinen Kindern verteilen will«, sagt Anneliese.

Diese Sorgen habe ich nicht, denn bei mir gibt es nur Christian, der einen Anspruch auf meine Kronjuwelen hat.

Geduldig erkläre ich ihr, daß man eine solche Brosche am besten am Revers einer schwarzen Jacke tragen sollte. Anneliese arrangiert zwar ihre Blumen mit traumwandlerischer Sicherheit, aber bei sich selbst versagt sie vollkommen.

Sie scheint das ebenso zu empfinden, denn sie sagt ein wenig schüchtern: »Schon in der Schulzeit habe ich dich bewundert, weil du immer so hübsch angezogen warst. Dabei hatte deine Mutter bestimmt kein größeres Haushaltsbudget als meine. Und seitdem du auf deine alten Tage so gut verdient hast, bist du noch schicker geworden. Kannst ja auch tragen, was du willst – bei deiner Figur sieht alles eleganter aus als bei mir.«

»Du bist eben von Natur aus etwas stattlicher als ich«, versichere ich, obwohl wir beide wissen, daß es Unsinn ist; in Wahrheit verputzt Anneliese pro Tag eine Tafel Schokolade.

Gemeinsam erinnern wir uns oft an vergangene Zeiten: Beim Tanzstundenball war ich tatsächlich am geschmackvollsten angezogen, das läßt sich mit Fotos belegen. Die anderen Mädchen steckten in starren Rüschenkleidern aus lila, türkis und bonbonrosa Taft. Auf dem schwarzweißen Bild kann man es zwar nicht erkennen, aber Annelieses Kleid war himmelblau mit erbsengrünen Polkatupfen, so daß sie ein wenig wie ein weiblicher Clown daherkam.

Meine Mutter hatte mir einen langen Rock aus blasser Fallschirmseide genäht, der ganz weich und locker auf meine Ballerinas herabfiel. Als einzige trug ich ein Röschen im schwarzen Haar. Ich sah so wunderschön und leblos aus wie Schneewittchen.

Denn was half schon mein seidenes Kleid? Die jungen Männer, die sich aus dem nahen Knabengymnasium rekrutierten und etwa zwei Jahre älter waren als wir, interessierten sich nicht für Röcke und Blusen, um so mehr aber für deren Inhalt. Keine konnte man beim Walzer so herumschwenken wie

Anneliese, keine hatte ein so keß zur Schau gestelltes Dekolleté, keine lachte übermütiger und ließ sich auf dem Heimweg so gern küssen.

Damals sagte mein Vater: »Es wäre klüger, dir eine andere Freundin zu suchen, Lore! Eine, die keine Konkurrenz bedeutet!«

Ich lachte meinen Papa aus. Anneliese und ich blieben unzertrennlich, denn ich machte mir nichts aus den pickligen Jünglingen, die sie umschwänzelten. Trotzdem gab es mir einen Stich ins Herz, wenn ich als letzte zum Tanz aufgefordert wurde. Ich war wohl ein Mauerblümchen.

Anneliese bestreitet das. Es sei eher so, daß sich die jungen Männer nicht recht an mich herangetraut hätten. Ich sei fast zu fein, zu vornehm und damenhaft gewesen, außerdem klüger als alle anderen.

»Na, jetzt übertreibst du aber«, sage ich, aber ich höre es gern.

In der Tanzstunde hatte Anneliese auch ihren ersten Freund kennengelernt. Nie werde ich den Geruch seiner dunkelgrünen, breitgerippten Jacke vergessen, die mit einem modischen Reißverschluß geschlossen wurde. Damals nannte man Kordsamt noch Manchester, und der Stoff roch anders als heute: geradezu penetrant, wenn er neu war, muffig, wenn er oft ge-

tragen wurde. In der Jackentasche steckte gut sichtbar eine Pfeife, die aber reine Angeberei war. Die
Kreppsohlen seiner Schuhe quietschten beim Tango,
der Schweiß perlte auf seiner Stirn, der aufdringliche
Geruch der Kordjacke mischte sich mit dem scharfen von Pitralon, seinem Rasierwasser.

»Habt ihr euch bloß geküßt oder auch ein bißchen gefummelt?« frage ich meine Freundin, denn
jetzt kann sie es mir ja verraten.

»Wo denkst du hin«, sagt sie lachend, »und selbst
die Küsse waren viel harmloser als alles, was heute
im Nachmittagsprogramm läuft. Als er einmal die
Hand auf meinen Busen legte, habe ich ihm eine ge-
schmiert. Wenn du die Wahrheit wissen willst – so
richtig aufgeklärt war ich sowieso nicht.«

»Und? Wie hast du es schließlich herausgekriegt?«
frage ich. Bei mir waren es, wie bei vielen anderen,
zwei Ratgeber aus der Hinterlassenschaft meiner
Großmutter: *Die Frau als Hausärztin* und *Das Ge-
schlechtsleben des Weibes*.

Anscheinend war Anneliese auf diesem Gebiet
ein Naturtalent.

»Das meiste kann man sich doch denken…«
meint sie.

»Wie hieß er denn gleich, dieser Kerl mit der
Kordjacke?« frage ich.

»Ewald«, antwortet Anneliese und muß kichern.

Wir schweigen ein wenig. Eine Hummel ist durch das gekippte Fenster geflogen und kämpft zornig gegen die Glasscheibe an; ein duftender Jasminzweig in der Vase wird sie angelockt haben. Ich mag keine Insekten, Anneliese ist dagegen durch ihre Gartenarbeit gegen jeglichen Ekel vor Würmern, Schnecken und anderem Getier immun; lässig wirft sie ein Küchentuch über die Hummel und befördert das brummende Bündel auf schonende Weise nach draußen. Wenn sie mich wegen meiner Kleidung bewundert, so beeindruckt mich ihre Tatkraft. Sie ist nicht wehleidig oder verbittert, und sie hat keine Skrupel. In ihren Träumen kann sie sogar schweben, wie sie mir immer wieder versichert.

Welche andere Frau, die den Tod des eigenen Mannes verschuldet hat, wäre so frei von allen Gewissensbissen? In Annelieses Fall gab es sogar eine Vorladung und eine polizeiliche Ermittlung, denn der ewig kränkelnde Hardy war an einer Vergiftung gestorben.

Anneliese ist eine sehr gute Köchin. Als in den 90er Jahren der wilde Bärlauch neu entdeckt wurde, bestellte Hardy bei einem Restaurantbesuch die angepriesene Köstlichkeit und war von der legierten Suppe sofort begeistert. In seiner Heimatzeitung las er zudem, daß es kaum eine bessere Diät zur Senkung des Cholesterinspiegels gebe. Von da an verlangte er von seiner Frau, die selbst weder Knoblauch noch Zwiebeln vertrug, fast täglich ein grünes Frühlingssüppchen. Um ihr zu schmeicheln und wohl auch, um sie bei Laune zu halten, behauptete Hardy, daß kein Sternekoch eine bessere Suppe zubereiten könne als sie.

Die sparsame Anneliese sah allerdings nicht ein, daß sie den Bärlauch auf dem Markt kaufen sollte, wo er doch ganz in der Nähe massenhaft wucherte. Aus Versehen hatte sie eines Tages wohl ein paar Blätter der Herbstzeitlose mitgepflückt. Leider war Annelieses Spezialität diesmal mit Colchicin gewürzt, und Hardy löffelte sie mit bestem Appetit und bis zum bitteren Ende. Nun, man konnte ihr wirklich keine böse Absicht unterstellen. Bei Durchfall und Erbrechen ruft eine erfahrene Hausfrau nicht gleich den Arzt. Sie versucht erst einmal durch bewährte Hausmittel Abhilfe zu schaffen. Verdächtig war höchstens, daß sie selbst die bewußte Delikatesse nicht angerührt hatte. Aber es gab genug Zeugen – auch mich –, die sicher waren, daß Anneliese Zwiebelgerichte stets verschmäht hatte. Darüber hinaus attestierte der Hausarzt, daß bei seiner Patientin seit Jahren ein Gallenstein bekannt war, weswegen sie blähende und schwerverdauliche Speisen meiden mußte.

Kürzlich habe ich beim Kochen ihr Gallenleiden nicht berücksichtigt, und Anneliese hat trotzdem kräftig zugelangt.

Erst Tage später wird mir mein Fauxpas bewußt, und ich frage ängstlich: »Ist dir neulich das Essen bekommen? Aus alter Gewohnheit habe ich die Leber mit Zwiebelringen gebraten, du mußt bitte entschuldigen...«

»Schon recht«, sagt Anneliese, »hat gut geschmeckt. Man kann im voraus nie genau wissen, ob ich etwas vertrage oder nicht. Nur Steinpilze sind absolut tabu, sonst muß ich leiden wie ein Tier.«

Fast hätte ich auch nach Bärlauch gefragt, aber ich lasse es lieber bleiben. Statt dessen frage ich: »Warum läßt du dich nicht operieren? Man kann Gallensteine doch zertrümmern!«

»Wer weiß, was sonst noch alles zertrümmert wird«, meint sie. »Ich nehme meinen edlen Stein lieber mit ins Grab. Solange ich nur alle fünf Jahre eine Kolik habe, ist es auszuhalten.«

»Und was sagt der Arzt?«

»Im Prinzip ist er der Meinung, man soll mit einer Operation nicht warten, bis man hundert ist. Aber so alt will ich sowieso nicht werden.«

Tja, die Zipperlein des Alters! Davon kann auch ich ein Lied singen: zunehmende Vergeßlichkeit, Grüner Star, Hammerzehe, Reizblase, Schlaflosigkeit. Und mein Tonfall wird mit jedem Leiden larmoyanter. Dabei hat Anneliese durch ihr Übergewicht wohl größere Risikofaktoren als ich: erhöhten Blutdruck, schlechte Laborwerte, Wirbelsäulenbeschwerden. Aber sie gehört zu jenen Patienten, die den Arzt durch Verschleierung und Untertreibung an der Nase herumführen und sich sowieso nur alle Jubeljahre in einer Praxis blicken lassen. Selbst mir gegenüber bagatellisiert sie ihre Gebrechen und will auch mich auf keinen Fall bemitleiden. Gar keine so falsche Einstellung, vielleicht.

Zum Glück kennt niemand den Zeitpunkt seines Todes. Ich jedenfalls will es unter keinen Umständen schon Jahre vorher wissen. Ein Leben nach dem Tod kann ich mir ohnedies nicht vorstellen. Aus ist aus, vorbei ist vorbei.

Anneliese geht zwar auch nicht in die Kirche, aber sie ist ziemlich anfällig für spirituelle Versuchungen. »Nur zum Spaß«, behauptet sie und liest ihr Horoskop. »Toi, toi, toi«, sagt sie und klopft auf Holz. Einmal hat sie sich sogar bekreuzigt, wer weiß, ob sie nicht heimlich betet. Da sie ja im Traum trotz ihres beträchtlichen Gewichts schweben kann, ist sie sicher, es auch in einem anderen Leben zu können. Und sie spürt manchmal, wie ihre Eltern oder andere Ahnen wie Schmetterlinge um sie herum-

gaukeln, leicht wie ein Hauch, liebevoll und be-
schützend.

»Sag doch gleich, daß du einen Schutzengel hast«,
spotte ich.

Anneliese nickt und lächelt. Manchmal sieht sie
aus wie ein kleines Mädchen.

Als ich sie kennenlernte, war sie zehn Jahre alt.
Ihre blonden Zöpfe waren das Gegenteil meiner
Pagenfrisur, und sie trug eine schwarze Berchtesga-
dener Strickjacke mit rot-grüner Passe, Trachten-
knöpfen und einem in der Taille durchgezogenen
Häkelbändchen.

Ich wollte so gern ein gleiches Jäckchen besitzen,
aber meine Mutter zischte nur: »Das könnte dir
wohl so passen!«

Erst heute verstehe ich, daß ihre heftige Abfuhr
und der Widerwille gegen dieses Kleidungsstück ihren schwelenden Haß auf das Hitlerregime verriet.

3

Unser Sohn Christian war etwa zwölf, als er eines Tages mit einem Hund nach Hause kam. Der Terrier gehörte dem Großvater eines Freundes, der in ein Altersheim verlegt wurde. Keiner wollte das Tier aufnehmen, also blieb es bei uns. In allen Familien, die ich kenne, ist es das gleiche Spiel: Anfangs schwören die Kinder, die Pflege zu übernehmen, und ein paar Tage lang kümmern sie sich auch wirklich um das neue Familienmitglied. Doch über kurz oder lang bleiben alle Pflichten an der Hausfrau hängen.

Beim abendlichen Gassigehen lernte ich ein Ehepaar aus der Nachbarschaft kennen, das zur gleichen Zeit seinen Rauhhaardackel ausführte. Nach und nach erfuhr ich mehr über diese Leute, die ein ganzes Stück älter waren als ich.

Schon bei einem unserer ersten Gespräche entrüstete sich Frau Rebhuhn, die ihren Mann um einen Kopf überragte, über einen aktuellen Zeitungsartikel. 374 prominente Frauen bekannten sich öffentlich dazu, illegal abgetrieben zu haben. Ich weiß noch, daß ich eine heftige Diskussion mit ihr führte; als ich aber erfuhr, daß sich dieses Ehepaar jahrelang vergeblich ein Kind gewünscht hatte, verstummte ich.

Die Rebhuhns besaßen in der Wiesbadener Altstadt einen Antiquitätenladen, der auf Schmuck spezialisiert war. Die beiden hingen aneinander wie die Kletten, fuhren täglich gemeinsam ins Geschäft und nahmen auch den Hund stets mit. Ihr Dackel wirkte zwar nicht gerade wie ein Zerberus, konnte aber bedrohlich knurren und die Zähne fletschen.

Bei einem Einkaufsbummel entdeckte ich den winzigen Laden mit dem Messingschild *Walter P. Rebhuhn, Antiquitäten*. Ich trat ein und ließ mir die vielen Sächelchen zeigen. Es war zwar vorwiegend Schmuck, den sie in ihren Vitrinen ausstellten, aber sie verkauften auch Dosen, Fingerhüte, Rahmen, Bestecke, Becher und dergleichen silbernen Kleinkram. Ich war entzückt, ja hingerissen und erstand von dem Geld, das eigentlich für eine Handtasche gedacht war, ein zierliches klassizistisches Reisenecessaire. In das Etui aus Schildpatt waren ein vergoldetes Scherchen, eine Ahle und ein feingravierter Nadelbehälter eingebettet. Ich besitze es zwar heute noch, aber im Grunde war es ein ebenso spontaner wie überflüssiger Kauf. Auch mein Mann war etwas erstaunt.

Immerhin fand Udo alles interessant, was ich über das Ehepaar zu erzählen wußte, er schätzte unsere wohlhabenden Nachbarn. Ausgerechnet er redete mir zu, auf deren Angebot einzugehen und Herrn oder Frau Rebhuhn gelegentlich im Laden zu vertreten.

Ich wurde zwar nicht gerade fürstlich entlohnt, aber es waren angenehme Stunden. Die Rebhuhns hatten beschlossen, daß jeder von ihnen abwechselnd einen Tag pro Woche freihaben sollte, um mit dem Dackel zum Tierarzt zu gehen oder andere Dinge zu erledigen. Da häufig ganze Touristengruppen hereinströmten, war es besser, wenn mindestens zwei Personen die wertvollen Objekte im Auge behielten.

Man konnte viel von den Rebhuhns lernen. Zuweilen blieb das Geschäft stundenlang leer, und wir hatten Zeit zum Plaudern. Walter Rebhuhn war ein umfassend gebildeter Mann; in einem Tresor befanden sich seine persönlichen Favoriten, die er nur ungern verkaufte. Seine Frau pflegte ihn ein wenig zu necken, wenn er wieder einmal seine Lieblinge nicht herausgerückt hatte. Fast über alle Gegenstände konnte er etwas Interessantes erzählen. Ja auch mich

brachte er dazu, mich mit Kultur- und Kunstgeschichte zu beschäftigen. Nach ein paar Jahren war
ich zu einer Vertrauensperson geworden, die sich
bestens auskannte. Als Frau Rebhuhn an Krebs er-
krankte, sprang ich immer häufiger ein.

Es gibt Menschen – wie Anneliese –, die nicht an Zufall glauben. So sehe ich es zwar nicht, aber es war
doch wie ein Fingerzeig des Schicksals, daß Frau
Rebhuhn am Tag meiner Scheidung starb. Als ich so
plötzlich zu einer einsamen, alleinstehenden Frau
geworden war und bald darauf aus unserem Haus
ausziehen mußte, reagierte ich mit Verbitterung. Unser Sohn lebte damals bereits in Berlin, ich hatte in
Wiesbaden keine weitere Verwandtschaft. Es war
Anneliese, die mir Mut machte, und Herr Rebhuhn,
der mir eine feste Anstellung anbot. Etwas Besseres
hätte mir nicht passieren können, denn ich wurde
von meinem allzu großen Selbstmitleid abgelenkt.
Mein Chef litt schließlich auch nicht weniger als
ich.

Wir kannten und vertrauten uns bereits seit zehn
Jahren, hatten aber stets eine respektvolle Distanz
bewahrt. Herr Rebhuhn war viel zu kultiviert, um
seine Anordnungen anders als mit einer höflichen
Bitte zu formulieren, und vielleicht auch zu konservativ, um mir gar das Du anzubieten.

Eines Morgens betrat ich den Laden und fand meinen Chef in Tränen aufgelöst. Beim Tod seiner Frau hatte er sich niemals gehenlassen, aber jetzt war es mit seiner Beherrschung vorbei. Gerade war sein alter Hund direkt vor dem Geschäft überfahren worden.

Teilnahmsvoll legte ich meine Hand auf die seine und redete beruhigend auf ihn ein. Nie hätte ich erwartet, daß er mich heftig an sich zog und in meinen Armen schluchzte wie ein kleines Kind. Um ihn vor neugierigen Passanten zu schützen, schloß ich die Ladentür ab. So gut ich konnte, fuhr ich fort, ihm Trost zuzusprechen und dabei sanft seinen Rükken zu streicheln. Schließlich weinte ich mit ihm, und irgendwann gerieten unsere nassen Gesichter aneinander, und wir küßten uns. Dramatischer und verheulter hätte eine Liebesbeziehung kaum beginnen können. Erst viel später erkannte ich, daß die symbiotische Dreiecksbeziehung von Herrchen, Frauchen und Hund erst durch den Tod des Dakkels ein Ende gefunden und den Weg für einen Neubeginn frei gemacht hatte.

Wir waren wohl ein recht ungleiches Paar, aber keiner konnte sich darüber lustig machen, denn außer Anneliese wußte niemand von unserer Affäre. Christian hatte bei einer seiner Stippvisiten allerdings

Verdacht geschöpft. »Du magst das Rebhühnchen wohl ziemlich gern?« fragte er.

Doch auch erwachsene Kinder müssen nicht alles über ihre Eltern erfahren. Vor allem wollte ich nicht, daß Udo auf Umwegen Wind von der Sache bekam.

Herr Rebhuhn hieß Walter P. mit Vornamen. Zu meiner Verwunderung bedeutete das P nicht Peter oder Paul, sondern Percy. Da seine Frau ihn stets Walter genannt hatte, wollte er von mir nicht ebenso angesprochen werden; es fiel mir allerdings schwer nach so vielen Jahren, und wir verrieten uns beide immer wieder. Percys Großvater war Schotte gewesen, und sein Enkel pflegte vielleicht deswegen den Kontakt zu Engländern. Durch ihre Vermittlung hatte er manche Antiquitäten günstig erwerben können.

Percy hinkte ein wenig, war weißhaarig, klein, etwas rundlich und von rosiger Gesichtsfarbe. Wie schon seine verstorbene Frau war auch ich ein Stück größer als er, aber trotzdem nannte er mich in stillen Stunden – wohl auf Grund meiner grauen Kleider – Schwälbchen oder kleine Schwalbe. Es war eine neue Erfahrung für mich, daß ein Mann durch meine Zuwendung aufblühte und sich von einer bisher unbekannten heiteren Seite zeigte. Früher mochte ich keine Männer, die Schmuck trugen. Aber ihm

standen Ringe, Krawattennadeln, Manschetten-
knöpfe und goldene Uhrenketten, weil er sie mit
Grandezza und Selbstverständlichkeit zu tragen
wußte. Manchmal steckte er mir wortlos einen Ring
an den Finger, wobei ich nie genau wußte, ob er ihn
mir schenken oder bloß an einer Frauenhand begutachten wollte. Nach getaner Arbeit gingen wir
meistens essen.

Da meine neue Wohnung in der Nähe des Ge-
schäfts lag, verbrachten wir jedoch die Mittagspau-
sen bei mir. Erst gab es einen Imbiß, dann hielten
wir Siesta – und zwar legte ich mich ins Bett, er sich
aufs Sofa. Man kann nicht gerade behaupten, daß
unser Verhältnis von überschäumender Leidenschaft
geprägt war, aber es wurde trotzdem eine Zeit des
stillen, dankbaren Glücks, der aufrichtigen Freundschaft und vieler friedlicher Mahlzeiten.

Nur ein einziges Mal verbrachten wir eine gemeinsame Nacht bei Percy, was wir aus pragmati-
schen Gründen aber nicht wiederholten. Zum einen
mochte ich mich nicht gern in der Nähe unseres früheren Hauses blicken lassen, wo nun fremde Menschen wohnten. Zum anderen tat ich im Bett der
verstorbenen Frau Rebhuhn kein Auge zu.

Auf Percys Nachttisch stand immer noch ein
Hochzeitsfoto mit der Widmung: *Für meinen geliebten Walter von seiner Martha.* Unser beider Lieb-

ster trug darauf eine Uniform, die ihn überhaupt nicht kleidete. Nicht nur dieses Bild, auch jedes beliebige Möbelstück in seiner Wohnung erinnerte an eine langjährige Ehe. In meiner Zweizimmerwohnung gab es nur ein schmales Bett, weil ich mich nach der Scheidung auf ein nonnenhaftes Leben eingestellt hatte. Ich hätte natürlich eine größere Wohnung mieten können, aber ich wollte diesbezügliche Schritte nicht von mir aus in die Wege leiten. Percy schien ja mit den seltenen Schäferstündchen vollkommen zufrieden zu sein.

Manche Kunden nahmen an, Percy sei Kunsthistoriker, tatsächlich hatte er sich aber sein großes Wissen selbst erworben. In jungen Jahren war er zwar zum Goldschmied ausgebildet worden, hatte jedoch nur kurz bei einem Meister gearbeitet. Nach dem Krieg, aus dem seine Beinverletzung stammte, eröffnete er mutig einen kleinen Laden. Anfangs nahm er ganz unterschiedliche Gegenstände und auch Trödel in Zahlung und handelte damit. Amerikanische Soldaten erstanden gern ein Souvenir wie beispielsweise einen Orden und waren erfreut, daß Percy auf englisch Auskunft gab. Später, als er sich auf Schmuck spezialisiert hatte, konnte er seinen erlernten Beruf doch noch ausüben. Es gehörte nämlich eine Weile zu Percys Kundendienst, kleine Änderungen und Reparaturen eigenhändig auszuführen.

Aus Dummheit und Stolz verzichtete ich nach der Scheidung auf Unterhaltsansprüche. Finanziell stand ich trotzdem nicht schlecht da, aber große Sprünge konnte ich in jener Zeit nicht machen. Ich hielt es für gerechtfertigt, daß Percy bezahlte, wenn wir essen gingen. Seine Wäsche gab er zwar weg, aber ich habe doch so manches neben der beruflichen Arbeit für ihn erledigt. Im übrigen war er weder geizig noch großzügig, sondern in finanziellen Dingen äußerst vorsichtig.

Als Percy schon mit 65 Jahren starb, fühlte ich mich schuldig, ganz anders als Anneliese beim Tod ihres vergifteten Ehemanns. Auch habe ich oft darüber nachgedacht, ob er in seiner letzten Stunde immer noch glaubte, seine kleine Schwalbe habe ihm Glück gebracht. Obwohl Frau Rebhuhn gelegentlich eine Herzkrankheit erwähnt hatte, erkundigte ich mich fast nie nach seinem Gesundheitszustand. Zu meiner Entschuldigung kann ich anführen, daß er selbst weder über Beschwerden klagte, noch in den letzten Jahren ein EKG machen ließ.

Wahrscheinlich hatte ich ihn an jenem schwülen Tag überfordert. Nach langer Abstinenz sehnte ich mich so sehr nach Sex, daß ich in der Mittagspause die Initiative ergriff. Leider wurden meine Bemühungen nicht von Erfolg gekrönt, und Percys rosige

Gesichtsfarbe war einer kaltschweißigen Blässe gewichen. Mein Liebhaber entschuldigte sich wie ein Gentleman und bedauerte, daß er heute nicht ganz auf dem Posten sei. Dann bat er mich, ohne ihn ins Geschäft zurückzukehren. Er verließ meine Wohnung, setzte sich in den Wagen und fuhr nach Hause; ich glaubte fälschlicherweise, er könne mir aus Scham erst nach einer längeren Pause in die Augen sehen.

Ob er bereits am Nachmittag oder erst in der Nacht starb, läßt sich nicht rekonstruieren. Da er am nächsten Morgen nicht im Geschäft erschien, suchte ich in banger Ahnung seine Wohnung auf und fand einen Toten.

Wieder waren es dieselben Menschen, die mir über meinen Kummer hinweghalfen: Anneliese mit tröstenden Worten, Percy mit seinem Testament. Er hatte mich als Alleinerbin eingesetzt.

Mit 53 Jahren war ich unverhofft eine gutsituierte Frau geworden, die sich um die Zukunft keine Sorgen mehr machen mußte. Erfreulicherweise konnte ich jetzt wählen, ob ich faulenzen, vom Kapital leben, auf Enkel warten, um die Welt reisen oder wie bisher arbeiten wollte. Es war für mich keine Frage, daß ich mich für den Beruf entschied und in Percys Sinn den Laden weiterführte.

Das Antiquitätengeschäft lief in den 80er und 90er Jahren noch recht gut, und Wiesbaden war ein geeignetes Pflaster für wohlhabende Kundschaft. Zudem gab es viele Kurgäste, die sich oder andere für die Strapazen ihrer Therapie mit einem Schmuckstück belohnten. Ich ließ das alte Rebhuhn-Schild abmontieren und nannte meinen Laden jetzt *Die Goldgrube.* Im Gegensatz zu Percy verkaufte ich außerdem Modeschmuck aus der Vorkriegszeit, der auch für Frauen mit einem kleineren Etat erschwinglich war. Mein Kontostand wuchs langsam und stetig, und ich leistete mir nur noch seidene Kleider. Am liebsten trug ich ein helles Grau, auf dem mein eigener Schmuck gut zur Geltung kam.

Allerdings war meine Tätigkeit als selbständige Geschäftsfrau mit harter Arbeit und Stress verbunden. Der An- und Verkauf war längst nicht alles, denn Percy hatte im stillen vieles erledigt, wovon ich keine Ahnung hatte. So hatte er die Vorauszahlungen an das Finanzamt stets sorgsam eingeplant, Termine mit dem Steuerberater wahrgenommen, die Buchführung kontrolliert, die Preise kalkuliert und ständig Entscheidungen getroffen.

Zu meiner Entlastung stellte ich nach einigen Monaten einen schlaksigen jungen Mann ein, der mich mit seinen dunklen Brauen, schweren Lidern und

dem leicht geöffneten Mund an ein frühes Selbst-
bildnis von Caravaggio erinnerte. Der hübsche Rudi
war soeben von seinem Lebens- und Geschäfts-
partner verlassen worden, doch war er nicht annä-
hernd so unglücklich, wie ich es seinerzeit gewesen
war.

Worunter er vor allem litt, war ein sehr spezielles
Problem: Sein rechter Fuß war drei Zentimeter größer als der linke. Aus diesem Grund mußte er Schuhe
tragen, die links zu groß waren. Dauernd ertappte
ich ihn, wie er in Socken hinter der Kasse stand und
frisches Seidenpapier in seinen Schuh stopfte. Da
mich sein ständiges Lamento etwas nervte, kaufte ich
ihm zum Geburtstag je ein Paar identischer Schuhe
in Größe 41 und 44, wohl wissend, daß er für zwei
Exemplare keine Verwendung hatte.

Rudi zeigte sich höchst erfreut. Auf dem Heimweg schleuderte er vor meinen Augen die beiden
überflüssigen Schuhe in einen Abfallcontainer. Leider hatte er sich vertan und genau das falsche Paar
entsorgt; als er den Schaden bemerkte, hatte man
den Container bereits abtransportiert. Bis zum heutigen Tag erzählt er gern von der größten Fehllei-
stung seines Lebens.

Gleich zu Beginn seiner Tätigkeit überredete mich
Rudi zum Kauf einer teuren und anfälligen Espres-

somaschine, die einzig und allein ihm gehorchte. Aber es machte Eindruck auf die Kundschaft, wenn er ihnen den schwarzen Trank in einem Meißner Täßchen servierte. Schon nach ein paar Wochen glich mein kleiner Laden häufig einer Bar, weil sich immer ein paar seiner Freunde auf einen kleinen Schwatz bei uns einfanden. Anfangs war ich skeptisch, denn die jungen Herren waren ja nicht zum Kaufen erschienen, aber mit der Zeit wurde ich fast süchtig nach ihren Besuchen. Seit meiner Schulzeit hatte ich nicht so viel gelacht, und auch meine Stammkunden wurden angelockt und amüsierten sich über lockere Sprüche. Rudis Freunde waren außerdem gut erzogen und wußten sofort, wenn sie beim Verkauf eines Wertobjekts im Wege standen, und verzogen sich schnell und diskret.

Es belustigte mich schon ein wenig, daß Christian auf meinen Mitarbeiter eifersüchtig war wie auf einen jüngeren Bruder, während Rudi im Gegenzug meinem Sohn mit blankem Mißtrauen begegnete.

Im übrigen war Rudi ehrgeizig, zuverlässig, intelligent und eine wirkliche Entlastung. Als ich ihm Jahre später meine *Goldgrube* überließ, war ich mir sicher, daß auch Percy mit diesem Nachfolger zufrieden gewesen wäre.

Einmal im Monat rufe ich Rudi an, um mich nach seinem Befinden und dem Stand der Geschäfte zu erkundigen. Diesmal kommt er mir zuvor.

»Du wirst es nicht glauben, Lore«, beginnt er aufgeregt, »ich habe mich verknallt!«

Ich glaube ihm sofort. In den Jahren unserer Zusammenarbeit hat sich Rudi relativ oft ver- und entliebt, stets mit dem gleichen Enthusiasmus zu Beginn und mit der gleichen Enttäuschung am Ende. Inzwischen ist er Ende Dreißig und benimmt sich zuweilen immer noch wie ein Teenager. Dabei habe ich ihn wiederholt belehrt, daß man zwar als Jugendlicher alle paar Monate neu entflammen kann, als Erwachsener aber nicht mehr so oft, schließlich nur alle sieben Jahre und im Alter ziemlich selten. Vielleicht gar nicht mehr.

Ich habe schon häufig überlegt, wie und wo ich mit über Siebzig überhaupt die Chance hätte, einen passenden Partner zu finden. Vielleicht machen es die deutschen Rentner richtig, wenn sie ihren Lebensabend auf Mallorca oder Teneriffa verbringen. Dort kann man unter freiem Himmel essen, und ein unverfängliches Kennenlernen wird erleichtert. Aber will ich das überhaupt?

Da bin ich ganz anders als Anneliese, sie liest immer noch die Kontaktanzeigen überregionaler Zeitungen. Dabei schimpft sie lauthals los, weil fast alle Männer schlanke Frauen bevorzugen. Sollte ich mit Anneliese probeweise mal nach Mallorca reisen? Nur setzt sie sich leider in kein Flugzeug.

»Hörst du mir überhaupt zu?« unterbricht Rudi meine Gedankengänge.

»Was sagst du? Frisch verliebt? Das ist aber fein«, lobe ich meinen früheren Mitarbeiter, »kenne ich ihn?«

»Unmöglich«, sagt Rudi, »er lebt in Hamburg. Es ist eine reine Wochenendbeziehung, aber die laufen oft besonders gut.«

»Und wie läuft der Laden?«

Leider schlecht, vernehme ich und mache mir Sorgen. Woran kann es liegen? Rudi hat aus dem Nachlaß eines Adelshauses den gesamten Schmuck aufgekauft. Um den hohen Preis zahlen zu können, hat er einen Kredit bei der Bank aufgenommen. Obwohl er sich finanziell übernommen hat, gerät Rudi sofort ins Schwärmen, als er mir die Schönheit dieser Ketten, Ringe, Broschen und Armbänder schildert. Bedauerlicherweise finden sich partout keine Käufer für die teuren Stücke.

»Du solltest mal kommen«, sagt er, »um dir wenigstens das Diadem einer preußischen Hoheit anzuschauen! Schwere, prunkvolle Ausführung, auf dem smaragdgrün emaillierten Mittelteil das Monogramm der Königin Luise. Nur schon das Art-déco-Ohrgehänge mit Diamanten, absolut stilrein. Dazu passend ein hinreißendes Collier! Und aus Budapest...«

Ich unterbreche ihn. »Rudi, ich glaube, ich muß mal ein ernstes Wörtchen mit dir reden. Komm her und bring deine Schätze mit, du hast sie ja hoffentlich versichert!«

Der kommende Donnerstag ist sowohl in Wiesbaden als auch bei uns in Schwetzingen ein Feiertag. Ich locke mit hiesigem Spargel und reifen Erdbeeren. Rudi sagt zu, denn für seinen Hamburger Freund ist Fronleichnam ein regulärer Arbeitstag, und die Wochenendreise gen Norden lohnt sich erst am Samstag.

Anneliese freut sich über jeden Besuch, selbst wenn er nicht ihr gilt. Ich überlege, wie ich ihr schonend beibringe, daß meine Gäste nicht zwangsläufig auch ihre sind. Meine Freundin muß nicht unbedingt mitbekommen, was ich von Rudis Bilanzen halte.

»Am besten machen wir Spargel«, schlägt sie vor, als ob ich nicht selbst auf diese Idee gekommen wäre. Schließlich haben die Kurfürsten schon im

18. Jahrhundert gewußt, daß er in den lockeren Sand-
böden von Schwetzingen besonders gut gedeiht.

»Und zum Auftakt deine berühmte Bärlauch-
suppe«, fahre ich fort.

Sie reißt eine Sekunde lang den Mund auf und
forscht in meinen Augen nach Spott, Häme oder gar
bösen Plänen. Aber ich setze meine harmlose Gut-
wettermiene auf, und sie lächelt schon wieder.

Der Garten ist Annelieses Paradies. Heute erklärt
sie mir die Kräuterbeete. Petersilie, Schnittlauch
und Dill kann ich natürlich auch auseinanderhal-
ten, aber der Unterschied von Majoran, Thymian
und Oregano will gelernt sein. Und wer kennt schon
Ysop, Weinraute oder gar Beinwell? Für die Frankfurter Grüne Soße hat sie jederzeit sieben Kräuter
zur Hand – außer den gängigen sind es noch Sauer-
ampfer, Borretsch, Pimpinelle, Kerbel und Kresse.

»Du bist mir ja die reinste Kräuterhexe«, sage ich
bewundernd. »Ich mit meinen schlechten Augen
würde sicher mal in die Nesseln greifen. Dein ge-
samtes Grünzeug sieht für mich ziemlich ähnlich
aus.«

Anneliese lacht. »Das kann verhängnisvolle Folgen haben«, sagt sie. »Man sollte sich schon ein bißchen auskennen, denn im Grunde ist jeder Garten
voller Giftpflanzen. Überall wachsen Christrosen,

Fingerhut, Seidelbast, Mohn, Rittersporn, Eisenhut und Goldregen. Sogar auf den Balkons stehen Oleander, Kirschlorbeer und Geranien. Aber wer wird schon auf die Idee kommen, daraus einen Salat anzurichten oder aus den Beeren von Efeu und Taxus Marmelade zu kochen?«

Ich vielleicht nicht, denke ich, aber Anneliese schon. Schließlich hat sie eine legierte Suppe mit Herbstzeitlosenblättern verfeinert.

»Hast du eigentlich Bärlauch im Garten?« frage ich. »Leider weiß ich gar nicht so genau, wie er aussieht.«

»Nein, Bärlauch gedeiht eher in Auen und Flußwäldern, aber auch im wilden Teil unseres Schloßparks«, sagt Anneliese. »Wenn er nicht gerade blüht, ähnelt er in etwa dieser Pflanze.« Dabei rupft sie ein Maiglöckchenblatt ab und hält es mir vor die Augen.

Nachdenklich ziehe ich die Stirn in Falten, denn ich kann mir kaum vorstellen, daß sich eine derartige Expertin beim Kräutersammeln irren könnte.

Anneliese hat meine Gedanken erraten. »Im übrigen sind auch Maiglöckchen giftig«, sagt sie heiter, »aber nicht so wirksam wie Herbstzeitlose.«

Sie setzt anscheinend als selbstverständlich voraus, daß ich nicht an die Version einer unabsichtlichen Verwechslung glaube.

Ich nicke ihr nur zu. Manche Dinge soll man lieber nicht aussprechen, aber wir verstehen uns auch ohne Worte. Sie weiß ja sowieso, daß ich ihr immer die Absolution erteilen würde.

Auf den Blumenbeeten ist eine gelbliche Rose mit dem schönen Namen Gloria Dei aufgeblüht.

»Wann hat man dir zuletzt rote Rosen geschenkt?« fragt Anneliese, krallt sich an meiner Schulter fest, schlüpft aus ihrem Gummistiefel und schüttelt ein Steinchen heraus.

Wann? Von Udo bekam ich ein Bukett zur Verlobung, Percy hat mir zwar gelegentlich einen Strauß mitgebracht, aber es waren meistens weiße Blumen, die er selbst für die edelsten hielt.

»Vor einer Ewigkeit«, sage ich, »und wie sieht es bei dir aus?«

»Es ist noch nicht besonders lange her«, sagt sie grinsend.

Doch Anneliese hat es faustdick hinter den Ohren. Womöglich hat sie sich im Winter selbst einen Rosenstrauß gekauft.

In bester Laune fängt sie nun an zu singen: »*Man schenkt sich Rosen nicht allein, man gibt sich selber auch mit drein…*«

Natürlich kenne ich dieses Lied. Als halbe Kinder sahen wir gemeinsam den Film *Schenkt man sich Rosen in Tirol* und schwärmten für Johannes Heesters.

»Weißt du, wer noch mitspielte?« frage ich. Anneliese hat ein weit besseres Gedächtnis als ich. Leider entfallen mir die Namen von bekannten Schauspielern, selbst wenn ich mich an ihre Gesichter noch genau erinnere.

»Marte Harell, Hans Moser und Theo Lingen«, antwortet sie wie aus der Pistole geschossen. »Mein Gott, ich würde diesen alten Schinken gern wieder einmal anschauen. Ob man sich totlachen würde oder wie damals tief beeindruckt wäre?«

Man könnte ja versuchen, eine Videokassette aufzutreiben, überlege ich, Christian weiß sicher, wie man das anstellt.

Zum zweiten Mal beginnt Anneliese zu trällern. Sie hat immer noch eine kräftige Stimme, als junges Mädchen wollte sie Operettensängerin werden.

Auch meine Berufsträume sind nicht in Erfüllung gegangen, weil sie im wahrsten Sinn des Wortes ein wenig hochgesteckt waren. Mit fünfzehn wollte ich Pilotin werden wie mein großes Vorbild Elly Beinhorn, die bereits 1928 am Steuerknüppel saß. Nach dem Abitur erfuhr ich allerdings, daß Kurzsichtige für diesen Beruf nicht in Frage kamen und man in der Nachkriegszeit junge Frauen sowieso lieber als Stewardessen ausbildete.

»Denkst du manchmal daran, daß du gern ein Star geworden wärst?« frage ich. »Und ob du als berühmte Sängerin wohl das große Glück gefunden hättest?«

Anneliese überlegt nur kurz. »Ist schon lange kein Thema mehr. Vielleicht wäre ich mit der Zeit eine depressive Säuferin geworden, denn für eine große Karriere hätte meine Stimme niemals ausgereicht. Ich finde es völlig in Ordnung, wenn die Rosinen im Kopf irgendwann in den Magen hinunterrutschen und am Ende verdaut werden.«

Doch dann lenkt sie schnell vom Thema ab: »Nun sieh dir doch mal diese Wolke an!«

Ich erkenne gleich, was sie meint. Da oben reitet eine Hexe. Am kühn gebogenen Kinn sprießen ein paar lange Haare, der Mund ist grimmig zusammengepreßt.

»Sieht uns fast ein bißchen ähnlich«, scherze ich. Wir waren einmal zwei bildhübsche Mädchen. Ich war mir dessen allerdings nicht bewußt und mochte nicht gern in den Spiegel gucken, aber die Fotos von damals können nicht lügen. Udo war der erste, der mir Komplimente machte, und ich ging ihm sofort auf den Leim.

Anneliese wurde dagegen ständig umworben. Sie hatte schon mit Fünfzehn einen üppigen Busen, aber eine schmale Taille und natürlich nicht den Michelinreifen um die Hüften, der sie jetzt so schwerfällig macht.

Gestern betraten wir eine Boutique, denn Anneliese wollte ihrer Tochter zum Geburtstag eine Bluse kaufen. Obwohl wir Beratung brauchten, wurden wir vom Personal ignoriert. Meine Freundin nahm das gelassen hin und wartete ergeben, während ich irgendwann schimpfte und mich heute noch ärgere. Zum Abreagieren lud ich Anneliese in ein Bistro ein und verlangte schon an der Theke: »Zweimal Prosecco und zwei Portionen von diesem Salat!« Ich deutete auf eine Kristallschale.

»Aber das ist Hummer!« protestierte die Kellnerin fast entsetzt, als ob sich zwei ältere Frauen nicht schon morgens um elf eine Delikatesse leisten könnten.

Es sind nicht bloß arrogante Verkäuferinnen, die Frauen in unserem Alter kaum beachten. Wenn ich in der Stadt unterwegs bin, trifft mich fast nie ein männlicher Blick. Sollten aber junge Männer wider Erwarten Interesse zeigen, dann höchstens für mein Portemonnaie. Und bei Anneliese sind sie wohl am ehesten scharf auf Großmutters Küche. Mit über Siebzig wird man als Frau nicht mehr wahrgenommen, eine Ausnahme sind höchstens ehemalige Filmschauspielerinnen oder sonstige Prominente.

Anneliese sieht das anders. Angeblich kennt sie genug Opas, die ihr hinterherpfeifen, beobachtet habe ich es bisher nie. Flötende Rentner wären ohnedies nicht mein Fall. Ich habe genug von älteren Herren, die zur Wiederbelebung ihrer Potenz eine zwanzig Jahre jüngere Frau bevorzugen. Schadenfroh denke ich an Udo und muß schmunzeln.

»Was ist?« fragt Anneliese.

»Irgendwie gibt es schon eine ausgleichende Gerechtigkeit«, sage ich, ohne zu erläutern, wie ich darauf komme. »Udo hinkt seit geraumer Zeit nur noch auf Krücken herum. Seine zweite Frau hatte es zwar eine Weile ganz nett mit ihm, aber sie hat nicht bedacht, wie schnell das zu Ende gehen kann. Genau wie Hardy dich in seinen letzten Jahren tyrannisierte, so quält Udo jetzt meine Nachfolgerin und fordert von früh bis spät ihre Anwesenheit. Keine Reisen mehr, keine Einladungen, keine Theater- oder Kinobesuche. Ihr Tag ist ausgefüllt mit Krankenpflege und Diätküche.«

»Mir kommen die Tränen! Sag bloß, du bedauerst sie?« fragt Anneliese.

Wir lachen beide. Ich bin natürlich heilfroh, daß ich heute frei bin wie ein Vogel.

»Aber mal ganz ehrlich«, sagt sie, »sind wir denn viel besser als die Männer? Wenn du wählen könntest – gefiele dir ein hübscher junger Typ nicht auch besser als ein alter Knacker? Wenn ich die Chance hätte…«

»Ach geh«, sage ich, »du würdest dich doch nicht im Ernst in einen Kerl verlieben, der dein Sohn sein könnte?«

»Unsere Kinder sind längst keine Jugendlichen mehr«, meint Anneliese, »sondern seit zwanzig Jahren erwachsen. Und dein Sohn Christian ist so süß, daß ich ihn auf der Stelle vernaschen könnte!«

Wie redet sie bloß! Macht sie Spaß? Ich bin etwas befremdet.

Anneliese kichert über meine mißbilligende Miene und ärgert mich nun ganz bewußt: »Wenn am Donnerstag dein Mitarbeiter kommt, darfst du ihn keine Minute mit mir allein lassen.«

Doch in Rudis Fall muß ich mir keine Sorgen machen.

Im Grunde stimme ich mit Anneliese überein. Selbstverständlich ist es lustiger, mit jungen Menschen zusammenzusein, denn leider nimmt das Lachen mit zunehmendem Alter kontinuierlich ab. Ein Kleinkind kann sich noch hinschmeißen vor Vergnügen, Backfische wollen nicht mehr aufhören mit ihrem Gegacker, auch in mittleren Jahren wird man noch gern im Freundeskreis Witze austauschen und ein wenig herumalbern. Aber irgendwann, fast schleichend, verschwindet das Lachen. Wenn man sich die dumpfen Gesichter so mancher Senioren anschaut, dann vergeht einem sowieso der Humor. Aber muß die Anziehungskraft jugendlicher Fröhlichkeit gleich etwas mit Sex zu tun haben? Sicherlich auch. Nachdem unser Sohn Christian ausgezogen war, haben Udo und ich kaum mehr miteinander geschlafen, denn der Sonnenschein war aus unserem Haus gewichen und hatte einer dauerhaften Regenperiode Platz gemacht. Sollte ich Udo nicht allmählich verzeihen, daß er sich, wenn auch auf meine Kosten, noch ein paar gute Jahre mit einer jüngeren Frau gegönnt hat? Wenn er demnächst im Rollstuhl sitzt, wird er kaum mehr Grund zur Heiterkeit haben.

Weil ich meinem geschiedenen Mann jetzt so weise und großzügig verzeihen möchte, werde ich auf einmal traurig. Abschied nehmen heißt die Parole eines Frauenlebens. Zuerst von der Geborgenheit im Elternhaus, dann von der jugendlichen Unabhängigkeit, schließlich von den Kindern, vom Partner, vom Sex, vom Beruf, von der Gesundheit, Vitalität und weiblichen Attraktivität. Nun nehme ich auch noch Abschied von einem großen Gefühl: meiner Wut.

Das Leben ist ungerecht. Ich bin schlank und gepflegt geblieben, aber es hat weder zu meiner inneren Zufriedenheit beigetragen, noch das Begehren eines Mannes geweckt. Anneliese ist kugelrund

und zieht sich an wie Kraut und Rüben. Dabei ist sie erstaunlicherweise überhaupt nicht unglücklich. Mein Sohn hat sofort erkannt: Eine fröhliche Dicke tut einer sauren Zitrone überaus gut.

5

Mein Gast kommt früher als angekündigt. Ich bin mit meinem Make-up noch nicht fertig, und Anneliese öffnet ihm die Tür. Als leidenschaftliche Gärtnerin hat sie heute schon stundenlang in der Erde gebuddelt und trägt eine lila Plastikschürze über den großblumigen Bermudas und der rumänischen Trachtenbluse. Im Gegensatz zu ihr ist Rudi immer sehr sorgfältig gekleidet.

Anneliese brüllt: »Loooore!« durch das Treppenhaus, und ich beeile mich, meine Perlenkette überzustreifen. Wenn jemand Sinn für schönen Schmuck hat, dann ist es Rudi.

Wir freuen uns beide über das Wiedersehen und umarmen uns herzlich. »Schau mal! Maßanfertigung!« sagt er stolz und deutet auf seine Füße.

Auch Anneliese starrt wie gebannt auf Rudis Schuhe, die deutlich sichtbar zwei verschiedene Größen haben.

Nachdem ich die Neuerwerbung gebührend bewundert habe, frage ich ein wenig streng: »Kannst du dir das leisten?«

Eigentlich nicht. Aber dafür spart er ja an anderen Dingen, die ihm nicht wichtig sind. Sein Auto ist uralt, sein Fernseher funktioniert nicht richtig, der Kühlschrank stammt von seiner verstorbenen Großmutter.

Noch vor dem Abendessen will mir Rudi den antiken Schmuck präsentieren, den er in einem Juwelierkoffer mitgebracht hat.

»Darf ich auch?« fragt Anneliese, zieht sich einen Hocker heran und reibt sich die erdigen Finger mit einer Papierserviette ab.

Zuerst zeigt uns Rudi hübsche kleine Luxusgegenstände, die er aus demselben Nachlaß erworben hat. Zigarettenspitzen aus Elfenbein, silberne Brillenetuis, Parfumflakons aus Muranoglas, ein Klapplorgnon, Pillendöschen, goldene Medaillen, eine emaillierte Gürtelschließe, Taschenuhren. Sogar eine mit Brillanten verzierte Sonnenbrille ist dabei. Anneliese kommt aus dem Staunen nicht heraus. Dann wird Rudi feierlich, packt die wahren Pretiosen aus dem Schmuckkoffer und bettet sie vor uns auf ein schwarzes Samttuch. Ringe, Broschen und Ohranhänger, schließlich ein Collier und zum krönenden Abschluß das Diadem.

»Was sagst du nun?« fragt er erwartungsvoll.

Ich hatte die Lupe schon bereitgelegt und prüfe gewissenhaft Stück für Stück aus unterschiedlichen

Epochen. Modische Schiffchen- und Schlangen-ringe, Ohrcreolen und Armbänder aus dem vorigen Jahrhundert werden sich bestimmt zu einem vertretbaren Preis verkaufen lassen. Aber das gesamte diamant- und edelsteinbesetzte Geschmeide und gar das Diadem ist schwer an den Mann zu bringen. Alles von musealem Wert und nur für sehr reiche Sammler erschwinglich. Meine ehemalige kleine *Goldgrube* ist zudem kein Juweliergeschäft, in das sich öfter mal ein Millionär verirrt. Wenn man Glück hat, geben Zahnärzte und Fabrikbesitzer zum Fünfzigsten ihrer Gattin etwas mehr aus.

Als ich Rudi meine Bedenken vortrage, fällt er nicht gerade aus den Wolken. Leicht verschämt gesteht er, daß er sehr an seinen Kleinodien hänge und sie am liebsten behalten würde.

Ich erzähle ihm von Percy, der seine Schätze hütete wie seinen Augapfel. Ich spreche warnend von einem fiktiven Fall, den ich aus der Literatur kenne: Ein besessener Juwelier ermordet einen Käufer, um seinen Lieblingsschmuck zurückzubekommen. Rudi sieht sich dadurch bloß in seinem Kunstverstand bestätigt.

Ein naives Naturkind ist Annneliese zwar nicht, doch vornehme Zurückhaltung kennt sie ebensowenig. Die ganze Zeit hat sie wie bei einem Feuerwerk nur Aaa und Ooo gejuchzt.

Rudi zuckt richtig zusammen, als sie ganz plötzlich nach einem geöffneten Futteral aus rotem Boxkalf grabscht und herausplatzt: »Das muß ich haben, und wenn es noch soviel kostet!«

Es handelt sich um eine sogenannte Parure, die sich aus einem Collier, Armband, Ring, Brosche und Ohrgehänge zusammensetzt. Reine Handarbeit mit eingelegten großen Smaragdcabochons und kleinen Rubinen, wahrscheinlich um 1830 entstanden. Anneliese hat mit diesem Griff zwar einen guten Geschmack bewiesen, aber auch eine völlige Fehleinschätzung ihrer finanziellen Möglichkeiten.

Nach kurzer Bedenkzeit nennt Rudi einen fairen Freundschaftspreis, und Anneliese erschrickt.

»Um Gottes willen!« sagt sie, wird blaß und legt alles wieder respektvoll zurück.

Ich unterdrücke ein Lächeln, denn ich mußte zu Beginn meiner beruflichen Tätigkeit auch erst mühsam lernen, die schönsten Stücke nicht für mich selbst zu requirieren.

»Eine Kette mit riesigen Smaragden ist nicht unsere Kragenweite«, tröste ich, »aber ein Blumenstrauß aus deinem Garten ist ohnedies viel schöner.«

Anneliese ist nicht meiner Meinung, denn keine Blüte kann funkeln wie ein Edelstein.

»Ich habe die Termine nicht mehr im Kopf«, sage ich, »wann sind denn die nächsten Messen?«

Aus Erfahrung weiß ich, daß man auf einer großen Antikenmesse in der Regel etliche Prunkobjekte an den Mann bringen kann.

»Dortmund im September, München im Oktober, Basel im November«, sagt Rudi, »unsere eigene in der Rhein-Main-Halle erst nächstes Jahr im Februar. Bis dahin bin ich glatt verhungert!«

Inzwischen hat auch Anneliese das Problem erkannt und überlegt gemeinsam mit uns, was man unternehmen könnte.

»Wenn der Berg nicht zum Propheten kommt«, sagt sie zu Rudi, »dann muß der Prophet eben zum Berg gehen. Und da die richtigen Geldsäcke Lores schönen Laden leider ignorieren, müßten Sie mal Ihren Standort wechseln und sich in den Palast eines Nabobs begeben!«

Rudi nimmt sie nicht weiter ernst und meint, dafür fehle ihm leider der passende Bauchladen.

Bei dem arabischen Wort *Nabob* kommt mir eine Idee. Ich sage aber vorerst nichts, sondern entführe Rudi in mein Wohnzimmer im ersten Stock. Anneliese bietet sich freundlich an, in der Zwischenzeit mit dem Kochen zu beginnen.

Wie erwartet, steckt mein Nachfolger tief in den roten Zahlen. Kurz zuvor hatte ich mir die Schmuckstücke vorgeknöpft, jetzt ist Rudis Buchführung an der Reihe. Leider herrscht diesbezüglich ein einziges

Chaos, ich kann mich nur wundern, daß ihm die Bank einen so hohen Kredit eingeräumt hat. Rudis Finanzen liegen mir nicht bloß aus humanitärer Fürsorge am Herzen, sondern auch aus eigennützigen Gründen. Die Ablösesumme für die Übernahme meines Ladens ist erst mit einer kleinen Summe angezahlt.

»Mein lieber Schwan«, sage ich, »wie kann man sich auf ein solches Risiko einlassen! Da warst du wohl völlig im Goldrausch! Am vernünftigsten wäre es, mit deinem Köfferchen nach Zürich zu fahren, um einem renommierten Juwelier deine Ware anzubieten. Aber mir ist ein anderer Gedanke gekommen…«

Wie immer sind Annelieses Spargel vorzüglich gelungen. Als Beilage gibt es Schwarzwälder Schinken, neue Kartöffelchen und Buttersauce.

Nach der Erdbeer-Baiser-Torte erzähle ich von einem früheren Kunden. Er arbeitete als Croupier im Wiesbadener Kasino. Seine Familie war in Italien zurückgeblieben. Im Grunde war er ein ehrenwerter Mann, zahlte bar und konnte sich fließend in mehreren europäischen Sprachen unterhalten. Einzig seine Frauengeschichten erschienen mir nicht ganz koscher. Immer wieder kaufte er ein antikes Ringlein, um es seiner jeweiligen Geliebten zu überreichen. Mit der rührenden Geschichte, daß der Schmuck seiner verstorbenen Mama gehört habe, brachte er selbst eiserne Ladies zum Schmelzen.

Von ihm habe ich erfahren, wie sich der Kundenkreis einer Spielbank in etwa zusammensetzt. Einen gewissen Anteil bilden zwar neugierige Touristen, aber es gibt auch so manchen Kandidaten aus dem halbseidenen Milieu, der Geld waschen möchte. Besonders willkommen sind aber die Ölscheichs, denen es nicht auf 100 000 Euro mehr oder weniger ankommt.

»Das sind die idealen Kunden, Rudi!« sage ich. »Wenn einer Haremsdame das Diadem gefällt, gibt es bestimmt kein langes Feilschen. Du mußt dich bloß an einen öligen Scheich heranmachen, und deine Probleme sind im Handumdrehen gelöst.«

Nach dem Riesling, den wir zum Essen getrunken haben, öffne ich eine Flasche Champagner. Eigentlich wollte ich sie für Annelieses Geburtstag aufheben, aber man soll die Feste feiern, wie sie fallen. Rudi trinkt schnell und viel, Anneliese prostet ihm unentwegt zu und öffnet eine zweite Flasche, die von minderer Qualität ist. Längst sind die beiden zum Du übergegangen. Auf einmal verschwindet Anneliese für eine Weile und betritt in einem wallenden blauen Kaftan erneut die Bühne.

»Laß mich um alles in der Welt deine Klunker

einmal anziehen!« verlangt sie nicht ohne Theatralik, und Rudi läßt sich nicht lange bitten.

Nach Annelieses Metamorphose zur Diva will auch ich nicht zurückstehen, stülpe mir das Diadem auf die weißen Haare und sehe aus wie Queen Elizabeth II.

Bei Albernheiten ist Rudi sofort mit von der Partie. Er behängt sich wie ein Weihnachtsbaum, setzt sich die glitzernde Brillantbrille auf die Nase und steckt sich je eine Zigarettenspitze ins Ohr. Anneliese steigt etwas mühsam auf den Tisch – als Handicap oder auch zum Glück hat sie das bodenlange Gewand an – und singt schmissige Operettenlieder. Zu der Arie *Mein idealer Lebenszweck ist Borstenvieh, ist Schweinespeck* hopse ich mit Rudi so lange um den ächzenden Eßtisch herum, bis mir das Diadem vom Kopf rutscht.

Rudi ist zu betrunken zum Autofahren. In der Mansarde stehen für solche Fälle ein frischbezogenes Bett und eine jungfräuliche Zahnbürste bereit, und er nimmt das Angebot dankbar an. »Isch werd misch bei den Schmeichen einscheicheln, weil die Schleichen niemals feischeln«, verspricht er und kriecht auf allen vieren die steile Treppe hinauf.

Am nächsten Morgen fühle ich mich erstaunlicherweise kein bißchen verkatert, sondern angenehm wohlig und beschwingt. Fast wie nach einer schönen Liebesnacht, obwohl davon seit Jahren nicht mehr die Rede sein kann. Nach genüßlichem Räkeln und Gähnen fällt bei mir der Groschen: Gestern habe ich gelacht, bis mir der Bauch weh tat. Besser als jede Gymnastik, denke ich und springe munter aus dem Bett. Dabei fährt mir zwar ein schmerzhafter Stich ins Kreuz, aber ich will mir die gute Laune nicht verderben lassen.

Anneliese ist ebenfalls vergnügt, zum Glück schmettert sie aber keine Arien, sondern nur die Brötchen auf den Tisch. Ich stelle das Radio und den pfeifenden Wasserkessel ab.

»So ein entzückender Junge«, sagt sie, »einfach zum Knuddeln!«

»Meinetwegen darfst du ja ein bißchen schäkern, aber laß dabei die Finger aus dem Spiel«, warne ich, »er ist von Geburt an schwul.«

»Ich bin doch nicht blöd«, sagt Anneliese leicht gekränkt und funkelt mich an. »Warum willst du mir eigentlich jeden Spaß vermiesen?«

Wir blicken beide eine Sekunde lang zornig zum Fenster hinaus und müssen dann gleichzeitig lachen.

Mit dem Frühstückskaffee wollen wir nicht länger warten, aber unser Gast darf in Ruhe ausschlafen. Sein Geschäft muß heute eben geschlossen bleiben.

Doch die Geschichte läßt mir immer noch keine Ruhe. Sie dürfe Rudi nicht unterschätzen, bedeute ich meiner Freundin, er habe sich zwar gestern von seiner clownesken Seite gezeigt, sei aber alles andere als ein oberflächlicher Mensch. »Vom Typ her ist er eher ein Künstler mit erlesenem Geschmack«, setze ich hinzu.

»Habe schon verstanden«, sagt Anneliese. »Ich will ihn dir doch gar nicht ausspannen, du eifersüchtige Ziege!«

In diesem Moment kommt Rudi zur Tür herein, und wir werden rot. Hoffentlich hat er nichts von unserem Geplänkel mitgekriegt.

Rudi hat sich beim Rasieren geschnitten und sieht nicht ganz so taufrisch aus wie gestern nachmittag. Er mag weder ein Brötchen essen noch Kaffee trinken, sondern brüht sich Tee auf.

Es ist zwar lobenswert, daß er sich selbst bedient, aber muß er gerade nach der Nymphenburger Tasse greifen, die ich nur zur Dekoration aufgestellt habe? Ohne einen Schluck zu trinken, rührt und rührt er den Zucker um; schließlich starrt er wie gebannt auf die Küchenlampe, die noch von Annelieses Eltern stammt. Ein Wagenrad ist mit eisernen Ketten an der Decke befestigt, die vier Lämpchen sitzen in schmiedeeisernen Halterungen. Anneliese und ich reden über das Wetter.

»In Wiesbaden kennt mich doch jede Sau«, sagt Rudi ebenso grob wie unvermittelt, »dort mag ich nicht vorm Casino rumlungern und einen Scheich nach dem anderen anquatschen. Man könnte mich ja glatt für einen Stricher halten! Probieren wir es lieber mal in Baden-Baden!«

»Wir?« fragen Anneliese und ich wie aus einem Mund.

Heute nacht hat Rudi stundenlang gegrübelt und sich einen Plan zurechtgelegt. Wenn irgend jemand auf dieser Welt seriös und unschuldig wirke, dann zwei nette alte Damen.

»Stimmt«, sage ich sofort, »wir könnten schmuggeln, stehlen, dealen, morden, einbrechen, erpressen und kidnappen, soviel wir wollten, keiner hätte uns je in Verdacht. Niemand könnte eine Personenbeschreibung abgeben, denn man schaut uns seit Jahren nicht mehr an. Wir grauen Panther sind die unsichtbare Geisterarmee der Nation.«

»Lore«, sagt Rudi beeindruckt, »das hast du wirklich schön gesagt. Das klingt ja wie *Arsen und Spitzenhäubchen*! Aber – sorry – ich möchte euch doch gar nicht zum Stehlen verführen!«

Doch das entscheidende daran ist der Spaß. Anneliese ist längst Feuer und Flamme. »Theo, wir fahrn nach Lodz!« jauchzt sie. »Dann feiern wir ein frohes Fest, das uns die Welt vergessen läßt!«

Unser Plan sieht schließlich so aus: In der Lounge des feinsten Kurhotels werden wir einen Aperitif bestellen und Ausschau nach Großkapitalisten halten. Rudi hat dann die Aufgabe, mit ihnen ins Gespräch zu kommen.

Probeweise spielt er uns die Szene vor, drapiert ein rotkariertes Küchenhandtuch über eine Kugelvase und raunt dem imaginären Scheich ins Ohr: »Sehen Sie dort hinten meine adelige Großtante im Sessel sitzen? Die Ärmste hat gestern ihr ganzes Vermögen verzockt, nun wird sie sich leider von ihrem ererbten Familienschmuck trennen müssen!«

Etwas ärgerlich unterbreche ich ihn: »Kannst ja gleich Urgroßmutter sagen, Tante genügt doch!«

Meine Freundin, die ihr Leben lang der Bühne entsagen mußte, ist begeistert. »Und welche Rolle darf ich spielen?« fragt sie.

Rudis Scherze sind manchmal grenzwertig, unter Gekicher prustet er heraus: »Meine Amme natürlich!« Sekundenlang grinse ich schadenfroh, da verbessert er sich schon: »Anneliese spielt eine wichtige Nebenrolle als Kammerjungfer!«

Mit beiden Vorschlägen ist Anneliese nicht einverstanden. Auch ich protestiere jetzt ernsthaft: »Wir führen weder *Maria Stuart* noch eine Mozartoper auf! Und richtig alte Kammerzofen gibt es sowieso nicht, was würde denn die Gewerkschaft dazu sagen! Anneliese unterstützt uns als meine Freundin, und damit basta.«

»Also los, Mädels«, sagt Rudi und wird zusehends aktiver, »brezelt euch auf, schmeißt euch in Schale! Den Schmuck aber legst du besser erst später an, Lore, das erscheint mir sicherer.«

Wir einigen uns darauf, daß wir mein Auto nehmen und in einer Stunde aufbrechen, schließlich sind es von Schwetzingen nach Baden-Baden kaum mehr als hundert Kilometer.

6

In meiner Jugend waren zärtliche Berührungen den Liebenden und der engsten Familie vorbehalten; erst durch die nächste Generation lernten wir, daß sich auch Freunde mit Umarmung und Wangenkuß begrüßen oder verabschieden. Der feste Händedruck blieb unter uns Älteren allerdings bestehen, Anneliese und mir wäre es direkt peinlich, wenn wir uns nach so vielen Jahren plötzlich küssen müßten. Seltsamerweise tun wir es aber mit jüngeren Leuten, mit denen wir längst nicht so lange und so innig befreundet sind.

Es gab und gibt jedoch Personen, die ich die Pelzrücker nenne. Ihre Spezialität ist nicht das modisch gewordene Busserl, sondern eine jeden Zeitgeist ignorierende Distanzlosigkeit. Stets gehen sie etwas zu dicht vor ihrem Gegenüber in Stellung und setzen sofort nach, wenn der Angesprochene unmerklich zurückweicht. Es ist möglich, daß man sich auf diese Weise Meter um Meter vom ursprünglichen Standort entfernt. Eine frühere Kundin gehörte zu dieser Sorte, aber auch Annelieses verstorbener Mann beherrschte das Spielchen. Es war mir egal, ob er bloß das Terrain oder mich erobern wollte; ich hasse es so oder so, wenn man mir allzu dicht auf die Pelle rückt.

Burkhard, der gelegentlich recht charmant sein konnte, legte mich mit seinem Trick immer wieder herein. Da es im Sitzen nie so recht klappte, weil sich Stühle oder gar Sessel nicht kontinuierlich herumschieben lassen, sorgte er dafür, daß Gäste eine Weile im Flur stehenblieben. Dann trieb er sein auserkorenes Opfer mit dem Bauch ins Wohnzimmer und dort am liebsten gegen eine Wand, wo man ihm nicht mehr entrinnen konnte. Anneliese pflegte die eingeklemmten Besucher zu retten und scheuchte dann ihren Hardy zum Weinholen in den Keller.

In seinen letzten Lebensjahren konnte Hardy seine Macht nur noch durch Tyrannei ausüben, denn ein inkontinenter Platzhirsch ist kein guter Pelzrücker mehr. Wie so mancher Dauerpatient entwickelte er Haßgefühle auf die Gesunden; da seine Kinder längst das Weite gesucht hatten und nicht mehr nach seiner Pfeife tanzten, hielt er sich an Anneliese schadlos. Sie hat es sich viel zu lange gefallen lassen.

Beim Autofahren gerate ich meistens ins Grübeln. Gemächlich zuckle ich auf der A5 in Richtung Basel; Anneliese sitzt auf dem Beifahrerplatz und ahnt nicht, daß ich mir über ihre verflossene Ehe den Kopf zerbreche. Auch sie scheint ihren Gedanken nachzuhängen. Seit einer halben Stunde müssen wir notgedrungen schweigen, denn Rudi hat sich auf der Hinterbank zusammengefaltet und ist eingeschlafen. Ich bin ganz froh darüber. Er braucht nicht zu merken, daß ich inzwischen wie eine lahme Ente fahre. Auf dem Heimweg wird Rudi uns chauffieren, das hat er fest versprochen.

Auch für Anneliese ist es ein besonderer Tag. Für unsere kleine Expedition hat sie sich von ihrem Vogelscheuchen-Look verabschiedet. Sie trägt einen schwarzen Anzug, den sie sich zu Hardys Beerdigung geleistet hatte, und sieht nun aus wie ein Schornsteinfeger. Auf dem dunklen Untergrund werden die Smaragde besser zur Geltung kommen, flüstert sie mir zu, denn auf jeden Fall will sie das Collier noch einmal anlegen, bevor es verkauft wird.

Kurz vor der Autobahnausfahrt wird Rudi wach, wir können uns endlich wieder unterhalten. Anneliese bittet darum, am Bahnhof abgesetzt zu werden.

»Was soll denn das?« frage ich ärgerlich. »Du willst doch nicht kneifen?«

Sie lacht. »Ich bin wahrscheinlich früher als ihr an Ort und Stelle. Bis ihr einen Parkplatz gefunden habt, bin ich mit einer Taxe schon am Hotel.«

Rudi und ich verstehen sie immer noch nicht.

Anneliese erklärt geduldig, was sie sich in unserer stummen Phase zurechtgelegt hat.

»Wenn irgend jemand über wichtige Informationen verfügt, dann ein Taxifahrer. Will man ihn aber aushorchen, was vor Ort so läuft, muß man ein Stück mit ihm fahren.«

Mit Taxis hat Anneliese seit Jahren Erfahrung. Sie besitzt zwar einen Führerschein, wurde aber von Hardy fast nie ans Steuer gelassen. Inzwischen hat sie das Fahren völlig verlernt und ist froh, daß ich dafür zuständig bin. Sie sprüht sich noch rasch Chanel No 5 in den Ausschnitt, dreht mir eine lange Nase und wechselt am Bahnhof die Pferde.

»Gute Idee mit dem Taxi«, sagt Rudi, »darauf wäre ich nie gekommen. Zum Glück brauchen wir jetzt nicht mühsam nach dem Hotel zu suchen, sondern können einfach hinterherfahren!«

»Ja, ja, Anneliese ist clever«, sage ich leicht ironisch, »fragt sich nur, wo wir einen Parkplatz finden.«

Als wir endlich das vereinbarte Grand Hotel betreten, ist Anneliese wie der Igel im Märchen längst am Ziel und sitzt in einer Ecke der Hotelhalle, wo sie eine gute Übersicht hat. Sie winkt uns heftig zu und kann mit ihrem Bericht kaum warten, bis wir bestellt haben. Vor ihr steht bereits ein Glas Campari.

»Die Ölscheichs könnt ihr vergessen«, beginnt sie, »die sind im Frühjahr alle an der Côte d'Azur. Nur noch ein einziger ist hier, ein gewisser El Latif bin Irgendwas, der sich in einer Klinik behandeln läßt. Ich tippe mal auf Rundumerneuern mit Fettabsaugen.«

Schon will ich den Schmuck abnehmen, denn das enge *Collier de chien* aus weißer Koralle drückt mir schier den Hals zu. Doch Anneliese stoppt mich mit einer gebieterischen Geste, in ihren Augen leuchtet Triumph.

»Keine Panik, meine Liebe! Heutzutage wimmelt es hier von neureichen Russen. Und ihre Frauen lieben es, möglichst viel Schmuck zu tragen. Mensch, was haben wir einen Dusel, schaut doch mal, da kommen schon welche!«

Ruckartig drehen wir alle drei den Kopf zur Eingangstür, die der Portier für ein mondänes Paar aufhält. Der Mann ist ein wenig feist, zwischen Vierzig und Fünfzig und nicht direkt herausgeputzt, aber Rudi identifiziert sofort die Rolex am Handgelenk und die Nobelmarke der übergroßen, getönten Designerbrille. Seine Begleiterin ist etwa zehn Jahre jünger als er. Von Understatement oder distinguierter Eleganz kann bei ihr nicht die Rede sein. Sie ist schlank, aber nicht ohne weibliche Kurven, blondiert, stark geschminkt und dank Stilettos größer als er. Der kurze Rock und die Kostümjacke haben sicher ein Vermögen gekostet, Gold glänzt am Hals, an den Ohren und Fingern. Sie genießt es offensichtlich, daß sie die Blicke auf sich zieht, und bleibt eine Weile mitten im Raum stehen. Ihr Partner sucht eine freie Sesselgruppe.

»Zufrieden?« fragt Anneliese stolz. »Die Russen kamen schon im 19. Jahrhundert gern nach Baden-Baden, manche besaßen sogar eigene Häuser. Der Kurort war fast eine russische Kolonie, und heute ist es nicht viel anders. Die berühmtesten russischen Dichter haben hier ihr Geld verspielt, selbst die Zarin Elisabeth hat die sogenannte Sommerhauptstadt Europas besucht.«

»Hast du den Baedeker auswendig gelernt?« frage ich.

Aber ihr Wissen stammt vom Taxifahrer. »Man sieht sie auch heute gern«, erzählt Anneliese, »nur sind sie leider nicht mehr so kultiviert wie damals. Immerhin geben sie viel Geld aus. Der Kaviarverbrauch der Hotelküchen hat sich vervielfacht, jeder fünfte Gast der Luxushotels stammt aus Moskau, und so manche Slawistin hat einen Job in einer Parfümerie oder Edelboutique gefunden.«

Mir fällt ein, daß russische Kunden heutzutage auch Höchstpreise für Maler des 19. Jahrhunderts zahlen.

Inzwischen hat sich der mutmaßliche Russe für einen Tisch entschieden, rückt seiner Partnerin den Sessel zurecht und winkt den Kellner herbei. Dabei schaut er ein paarmal auf die Uhr und immer wieder zur Drehtür. Anneliese und ich müssen uns beherrschen, damit wir unsere Opfer nicht allzu auffällig anstarren, während Rudi allmählich Angst vor der eigenen Courage bekommt.

»Kinder, Kinder, das ist doch der reine Wahnsinn!« jammert er. »Ich kann mich doch nicht einfach vor denen aufbauen und wie ein Zauberkünstler das Diadem aus dem Ärmel schütteln!«

»Ach was, du Hasenfuß«, sage ich energisch, »du sollst mit ihnen reden, nicht zaubern! Die sprechen sicher Englisch, wenn nicht sogar Deutsch. Außerdem sollte man nichts übereilen und erst einmal auf Beobachtungsposten bleiben.«

Ein zweites Paar betritt den Raum, ähnlich gekleidet, die Frau jedoch dunkelhaarig. Man begrüßt sich überschwenglich und in bester Ferienlaune. Die Brünette nimmt neben der Blonden Platz und packt sofort ihre Einkäufe aus, um sie der Freundin zu zeigen. Anscheinend hat sie in den kleinen, feinen Läden der Kurhaus-Kolonnaden kräftig zugeschlagen.

»Alles von Prada und Gucci«, schätze ich.

Ihre Männer haben sich nicht hingesetzt, drehen

jetzt ab und steuern einen benachbarten Raum an. Rudi greift sich an den Kopf.

»Jetzt wird es erst zum richtigen Albtraum!« stöhnt er. »Sagt bloß, ich soll mich bei diesen Zikken einschleimen!«

Anneliese lechzt nach einem zweiten Campari. »Wollt ihr auch noch was?« fragt sie. Der Kellner läßt allerdings auf sich warten. Sie wird ein wenig unruhig, steht schließlich auf und verläßt uns. Ich bin mir sicher, daß sie die Toilette sucht.

Nach fünf Minuten ist Anneliese wieder bei uns. »War der Kellner endlich da?« fragt sie. »Ich weiß jetzt, was im Nachbarsalon los ist. Zwei uralte Französinnen mit langen roten Krallen spielen Zankpatience, absolut filmreif! Und unsere Russen hocken vor einem Schachbrett. Kannst du Schach spielen, Rudi?«

Er zuckt mit den Schultern. »Ein bißchen. Als Junge hat es mir mein Opa beigebracht, aber ...«

»Das ist doch wunderbar! Dann kannst du ja mitreden!« behauptet Anneliese. »Hinter Karpow und Kasparow stehen nämlich drei Voyeure, die dauernd ihren Senf dazugeben.«

»Wer hätte gedacht, daß du dich zur Undercover-Agentin mauserst«, lobe ich Anneliese und schicke Rudi mit aufmunternden Worten in die Spielhölle.

Er gibt sich einen Ruck. »Wenn der Kellner kommt, bestellt mir drei Wodkas! Und sechs russische Eier! Und paß gut auf meine Schätze auf«, sagt er und schiebt mir unter dem Tisch den Schmuckkoffer zu. Aufrecht schreitet er von dannen wie ein Stierkämpfer, der es gewohnt ist, dem Tod ins Auge zu schauen.

Es tut sich lange gar nichts, aber schließlich erscheint wenigstens der Kellner, und Anneliese bestellt sich ein Stück Torte. Wir werden allmählich ungeduldig. Die Frauen der Schachspieler scheinen im Hotel zu wohnen, haben sich mit ihren Siebensachen häuslich eingerichtet, bestellen neuen Tee mit Petits fours und gurren dabei wie die Täubchen.

Schließlich ergreife ich die Initiative. »Jetzt werde ich zur Abwechslung mal spionieren«, sage ich zu Anneliese, »du mußt aber Rudis Tresor gut bewachen!«

Sie verspricht es, und ich schlängele mich unauffällig zwischen anderen Gästen hindurch, bis ich den geheimnisvollen Salon erreiche. Dort spielt man inzwischen Schach an zwei Tischen, am einen sitzen die beiden Russen, am anderen Rudi mit einem jungen Mann im dunkelblauen Pullover, der überhaupt nicht neureich aussieht. Ich bleibe hinter ihm stehen und gebe vor, mich brennend für seinen nächsten Zug zu interessieren.

»*Check!*« sagt Rudi plötzlich. Sein Gegenspieler zündet sich eine Zigarette an, im Aschenbecher türmen sich die Kippen. Rudi beachtet mich auch weiterhin nicht.

Etwas verärgert frage ich schließlich: »Und wie lange soll das noch so weitergehen?«

Jetzt schauen beide hoch, und Rudi sagt auf englisch, ich sei seine alte Tante.

Der Fremde erhebt sich höflich, gibt mir die Hand, zeigt grinsend auf seinen Kontrahenten und behauptet mit deutlichem Akzent: »*Rudi is grandmaster!*«

Anscheinend haben sie sich angefreundet.

Rudi deutet jetzt mit der gleichen Geste auf seinen neuen Bekannten und sagt: »*Nikolai is world champion!*«

Beide lachen schallend, ich verziehe mich wieder.

Als ich wieder zu Anneliese stoße, hat sie sich mit dem Smaragdcollier geschmückt. Am Flügel ist ein Pianist eingetroffen. Er verbeugt sich vor den russischen Frauen und beginnt zu spielen.

»Tschaikowsky, Nußknackersuite«, sagt Anneliese fachmännisch. »Vielleicht könnte man den Klavierspieler mal fragen, ob er nicht das Wolgalied im Programm hat, denn dann…«

Ich unterbreche sie entsetzt. »Anneliese, wenn du

hier anfängst, dich zu produzieren, fahre ich auf der Stelle nach Hause, und zwar ohne dich.«

Um mich zu ärgern, säuselt sie mir trotzdem ganz leise ins Ohr:

Es steht ein Soldat am Wolgastrand,
Hält Wache für sein Vaterland.
In dunkler Nacht allein und fern,
Es leuchtet ihm kein Mond, kein Stern.

Aus purem Übermut stimme ich mit ein:

Hast du dort oben vergessen auf mich?
Es sehnt doch mein Herz auch nach Liebe sich.
Du hast im Himmel viel Engel bei dir!
Schick doch einen davon auch zu mir.

Die jungen Damen am Teetisch spähen neugierig herüber, denn wir gackern hemmungslos wie die Backfische. Rudi ist wie ein Engel, der uns geschickt wurde, damit wir das Lachen nicht verlernen.

Kurz darauf tritt der Himmelsbote mit leuchtenden Augen herein, doch statt eine frohe Botschaft zu verkünden, kippt Rudi nur schnell den Wodka und sagt: »*Nastrowje!* Ich muß gleich wieder zurück, wir spielen noch eine Partie!«

7

Anneliese hält den flatterhaften Engel am Ärmel
fest. »Hiergeblieben!« befiehlt sie und will wissen,
wann sie mit der Rückfahrt rechnen kann. »Ich muß
noch meine Blumen gießen, bevor es dunkel wird!«
sagt sie.

Etwas verständnislos, aber stets liebenswürdig,
setzt sich Rudi nun auf eine Sessellehne und linst
erst einmal unter den Tisch, ob der Schmuckkoffer
noch dort steht. Dann schaufelt er sich rasch ein hal-
bes Tortenstück von Annelieses Teller in den Mund.
Aber trotz aller Eile brennt er darauf, uns kauend
und schluckend eine Sensation mitzuteilen.

»So ein Zufall, ich kann es kaum fassen!« sagt er
begeistert und erzählt, daß sein Schachpartner das
gleiche Problem hat wie er selbst, nämlich zwei
unterschiedliche Schuhgrößen.

»Wenn er nun genau umgekehrt gestrickt wäre
wie ich, könnten wir uns immer zwei gleiche Mo-
delle kaufen, dann den rechten beziehungsweise linken Schuh austauschen und uns perfekt ergänzen.
Nur leider ist es bei ihm genauso wie bei mir, der
rechte Fuß ist der größere!«

Langsam begreift Anneliese, daß es sich hier um eine Schicksalsfrage handelt.

»Ihr habt also bloß über eure Schuhe geplaudert?« frage ich fassungslos. »Verstehst du denn gar nicht, daß deine finanzielle Existenz auf dem Spiel steht?«

Doch Rudi rechtfertigt sich: Wie ausgemacht, hatte er den Schachspielern über die Schulter geschaut und ganz beiläufig einen sachkundigen Vorschlag geäußert – wie er dachte. Fröhliches Gelächter war die Folge. Dann erklärte ihm einer der Spieler den Grund für die Heiterkeit: *»You are just like Nikolai!«*

Anscheinend war Nikolai ein anderer Zuschauer, der sich kurz zuvor genauso blamiert hatte wie Rudi. Man holte ein zweites Schachbrett und setzte die beiden Anfänger zusammen, um Ruhe vor ihren unqualifizierten Kommentaren zu haben.

»...und jetzt macht es uns riesigen Spaß!« sagt Rudi. »Nikolai ist so was von nett! Außerdem habe ich schon viel gelernt, Russisch ist gar nicht so schwer! Könnt ihr das zum Beispiel lesen?«

Er nimmt eine Eiskarte in die Hand und schreibt K Y P O P T darauf. Entziffern können wir dieses Wort zwar schon, aber nichts damit anfangen.

Stolz belehrt uns Rudi: »Das sind kyrillische Buchstaben, und es heißt nicht *Küpopt* sondern *Kur-*

ort wie bei uns im Deutschen. Und ratet mal, was sonst noch alles aus unserer Sprache kommt! Schlagbaum, Rucksack, Butterbrot, Absatz, Buchhalter und viele andere Wörter!«

»Schön, daß du so flott Russisch lernst! Was heißt denn antiker Schmuck, Collier, Ring, Diadem und so weiter?« frage ich.

Er wolle nicht gleich mit der Tür ins Haus fallen, sagt Rudi, er müsse erst ihr Vertrauen gewinnen und könne sich nur langsam an das Thema heranpirschen. Wir sollten uns nicht so viele Gedanken machen und lieber das schicke Hotel genießen. Mit diesen tröstlichen Worten läßt er uns abermals allein.

Schon wird es wieder ein bißchen langweilig, und wir versuchen es wie die Kinder mit Ratespielen. »Welche russischen Wörter kennst du, die wir auch verwenden?« frage ich.

Anneliese überlegt: »Datscha natürlich, Balalaika, Zar und Samowar, das war's schon. Und vielleicht neureich?«

Eigentlich ein sehr abwertendes Wort. Dabei waren alle Reichen in der ersten Generation einmal neureich. Wohlstand, der in kurzer Zeit erworben wurde, gilt schnell als anrüchig, wird gern mit illegalen Transaktionen, mit Betrügern, Kriegsgewinnlern, Schiebern, mafiosem Drogen-, Frauen- oder

Waffenhandel in Verbindung gebracht. Dabei kann es sich genausogut um einen tüchtigen Geschäftsmann handeln, der es als erster eines kleinbürgerlichen Clans zum Millionär gebracht hat.

Plötzlich stehen sie vor uns: Nikolai, Rudi und die anderen Schachspieler. Alle reden gleichzeitig auf russisch, deutsch, englisch und Nikolai zur allgemeinen Verwirrung auf französisch. Nachdem wir uns bekannt gemacht und begrüßt haben, starren die Männer hingerissen auf Annelieses Dekolleté. Rudi scheint etwas irritiert zu sein, denn wir hatten vereinbart, daß nur ich ein wenig Schmuck trage. Eine wirkliche Dame würde niemals mit einem Diadem zum Nachmittagstee erscheinen.

Man winkt den Frauen zu: »Oxana, Ludmilla!«

Meine Freundin erinnert sich an Kriegsfilme oder ungute Kindheitserlebnisse und ruft ihrerseits lauthals: »*Dawai, dawai!*«

Bald steht ein Kreis von Bewunderern um Anneliese herum und stiert auf die Smaragde, ich bin völlig abgeschrieben. Oxana und ihr Partner Wladimir sprechen Deutsch. »Wieviel?« fragt er ohne Umschweife.

Rudi nennt eine Summe, die mich erröten läßt, aber zum Glück beachtet mich niemand. Wider Erwarten fahren die Interessenten bei diesem Wucherpreis nicht schreckhaft zusammen, sondern nicken versonnen.

Oxana meint allerdings: »Kette ist nicht modern, könnte man Steine abmachen vielleicht?«

Auch ihre Freundin zögert. Die geschnittenen Smaragd-Cabochons finden beide zwar *picobello*, ein Wort, das wohl ebenfalls in ihre Sprache eingegangen ist, aber die Biedermeierfassung entspricht nicht ihrem Geschmack. Mir wird ganz schlecht bei dem Gedanken, das aufwendig gearbeitete Ensemble in Einzelteile zu zerlegen.

Nach kurzem Überlegen mische ich mich energisch ein und erkläre, daß ich die Eigentümerin sei und meine Freundin Anneliese diese prächtige Kette gerade kaufen wolle. Es komme auf keinen Fall in Frage, daß man ein historisches Kleinod umarbeite!

Rudi bemüht sich sofort, meinen angeblichen Hochadel zu beweisen; er wühlt eine Weile in seiner Brieftasche, bis er eine vergilbte Visitenkarte der ursprünglichen Besitzerin findet. Mit einer gewissen Ehrfurcht studieren unsere potentiellen Kunden den Titel und die vielen Vornamen der verstorbenen Adeligen.

Oxana hört zwar mit Interesse zu, hat aber immer noch nicht begriffen, daß es sich um Antiquitäten handelt. Selbstbewußt zeigt sie uns die eigene Kette –

Tahitizuchtperlen mit dunkelgrauem Lüster –, die zweifellos teuer war.

Auch Ludmilla schaltet sich ein, breitet ihre klotzigen Goldringe vor uns aus und läßt fragen, ob wir nicht etwas in dieser Art anzubieten hätten.

Resigniert schütteln Rudi und ich die Köpfe.

Wladimir, der laut Oxana ein großer *Businessman* ist, kümmert sich nicht sonderlich um die Extrawünsche seiner Frau oder Freundin und kommt nach längerem Abwägen zu einem Entschluß: Man werde einen Profi holen, um unsere Ware zu begutachten. Nikolai wird als Bote losgeschickt, Sessel und Stühle werden an unseren Tisch geschoben, der Kellner nimmt mit erstaunlicher Geschwindigkeit die Bestellungen auf. Die Stimmung wird fast übermütig, die Russen prosten uns zu. Noch bevor der Experte eingetroffen ist, hat mir Rudi das Diadem aufgesetzt, und alle staunen mich an wie ein Fabelwesen.

Der erwartete Fachmann ist eine Frau und genießt offensichtlich großes Ansehen. Sie ist etwa fünfzig, hat ein scharfes Vogelgesicht und sieht mich mit taxierenden Blicken an. Ich weiß sofort, daß man ihr kein Theater vorspielen kann; an ihr selbst entdecke ich im übrigen keinen Schmuck. Wladimir, den sie mit Direktor anredet, erklärt ihr auf russisch die

Sachlage. Sie lächelt andeutungsweise und zieht aus ihrem geräumigen Samtbeutel eine 10fache Lupe, eine digitale Feinwaage und ein Silberputztuch heraus. Anneliese muß alle Teile der Parure abnehmen und der Expertin vorlegen; als es um den geforderten Preis geht, schlägt sie allerdings die Hände über dem Kopf zusammen und ruft: »Absurd!«

Wladimir, der Direktor, übersetzt: »Spezialist sagt Unsinn!«

Oxana und Ludmilla haben das Interesse an Schmuck aus Omas Mottenkiste verloren und unterhalten sich wahrscheinlich über uns. Abwechselnd fixieren sie Rudi, Anneliese oder mich und tuscheln dann miteinander.

Leider verstehen wir nicht, was Wladimir und die Sachverständige miteinander bereden. Man bittet mich, alles vorzuzeigen, was ich verkaufen wolle. Auf mein gebieterisches Handzeichen angelt Rudi die Schatzkiste hervor und öffnet sie.

Die kundige Russin prüft winzige Punzen, wiegt, reibt, kratzt, poliert, kritzelt Zahlen und entlarvt triumphierend eine Imitation, die ich nicht als solche erkannt hatte. Im großen und ganzen scheint sie aber von der Qualität der Pretiosen überzeugt zu sein, besonders das Diadem hat es ihr angetan. Immer wieder nickt sie dem Direktor beifällig zu, greift am Ende zum Taschenrechner und addiert mit

Akribie, bis sie mir die Endsumme unter die Nase hält.

Wladimir sagt: »Für alles zusammen!«

Jetzt ist Rudi, der vehement protestiert, in seinem Element. Mir ist klar, daß er durch dieses Angebot zwar seine Schulden los wäre, aber nicht gerade viel dabei verdient hätte. Das peinliche Schachern zieht sich immer mehr in die Länge. Ein paar Stücke werden weggelegt und ein neuer Preis ausgehandelt, abwechselnd packt Rudi alles ein, aus oder wieder ein und versichert, ich würde mich unter solchen Bedingungen überhaupt nicht von irgendeinem noch so schmalen Ringlein trennen.

Anneliese wird in ihrem Sessel allmählich unruhig, ich hingegen bekomme vor Müdigkeit nicht mehr mit, was sich tut, als plötzlich Bewegung in die Runde kommt. Per Handy wird ein sogenannter *Bankir* herbeizitiert. Er scheint ebenfalls im Hotel zu wohnen, denn er bringt schon kurz darauf einen Aktenkoffer mit Bargeld, wie ich ihn nur aus Gangsterfilmen kenne. Ich habe keine Ahnung, auf welchen Betrag man sich inzwischen geeinigt hat.

Spontan umarmt mich die spröde Spezialistin und reicht mir einen Wodka; bisher hat sie kein deutsches Wort über die Lippen gebracht, nun stößt sie mit mir an und zitiert Goethe: »Zum Golde drängt, am Golde hängt doch alles!«

Nur Rudi traut dem Frieden nicht ganz, er zählt gewissenhaft nach.

Der große Deal hat endlich ein glückliches Ende genommen, und alle Beteiligten wirken zufrieden. Anneliese wacht auf, gähnt, räkelt sich und schnurrt wie eine Katze.

Dann wird mit stürmischen Umarmungen und Schulterklopfen Abschied genommen. Rudi geht den Wagen holen; Anneliese und ich sollen im Hotel warten, bis er vorfährt. Das Geld hat er in den Schmuckkoffer gestopft und mir anvertraut. Er macht einen etwas traurigen Eindruck.

Plötzlich kriege ich es mit der Angst zu tun. Leise sage ich zu Anneliese: »Das ging irgendwie alles viel zu glatt! Meinst du nicht auch, daß man uns draußen überfallen und ausrauben wird? Wir haben noch nicht einmal eine Waffe dabei!«

»Wenn du unter Verfolgungswahn leidest, dann geh rüber ins Restaurant und klau dir ein Buttermesser«, empfiehlt Anneliese, die immer noch in Abenteuerlaune ist.

Besorgt frage ich mich, ob wir nicht lieber hier übernachten sollten. Bei Tageslicht könnten wir Baden-Baden wahrscheinlich unbehelligt verlassen. An der Rezeption erfahre ich, daß noch eine Suite für 1700 Euro frei ist, und lehne dankend ab.

Im Gegensatz zu Anneliese versteht Rudi meine Sorgen sehr gut. Er hatte bereits in der Tiefgarage das Gefühl, schleichende Schritte hinter sich zu hören.

»Man wird uns mit Sicherheit auf den Fersen bleiben«, sagt er düster und gibt Gas.

»Haben sie eigentlich unsere Adressen?« frage ich, und Rudi verneint. »Nur die olle Visitenkarte, aber die Adelige ist ja zum Glück schon tot!«

Zwar befürchte ich, daß wir auch bald kaltgemacht werden, aber zunächst kann ich keinen Wagen hinter uns ausmachen. Im Gegenteil, wir kommen sogar – dank leerer Straßen und Rudis gehetzter Fahrweise – ziemlich schnell in Schwetzingen an. Er möchte aber kein zweites Mal in unserer Mansarde nächtigen, sondern samt seinen Einnahmen ins eigene Auto umsteigen und gleich weiter nach Wiesbaden fahren. »Tschüs, Tantchen!« ruft er und verschwindet in der Dunkelheit.

Als wir endlich im Hausflur stehen, verriegle ich die Tür und lasse in allen Zimmern die Rolläden herunter. Anneliese macht weder Anstalten, mir zu helfen, noch ins Bett zu gehen. Ihre schwarze Jacke hat sie einfach auf den Teppich geschmissen, sich selbst auf das Sofa. Mit verträumtem Ausdruck wühlt sie in ihrer Tasche herum und stellt dabei fest: »Heute

war ein so wunderbarer Tag, ich werde ihn nie vergessen!«

Nun muß ich doch ein bißchen lächeln, höre mit
meinen hektischen Sicherheitsvorkehrungen auf und
setze mich neben die lustige Witwe. Erst als ich die
Stehlampe anknipse, funkeln mir die feurigen Smaragde entgegen. Armband, Ring und Brosche hat
Anneliese bereits angelegt, die Ohrgehänge fischt
sie gerade aus den Abgründen ihrer Handtasche.
Nur das Collier hat sie den Russen gelassen.

8

Es gibt Tage, da wechseln Anneliese und ich kaum ein Wort. Nach dem Frühstück verzieht sich jede in ihre Wohnung oder – bei schönem Wetter – auch in den Garten. Inzwischen habe ich dort einen lauschigen Winkel für mich erobert: die Bank unter dem Kirschbaum. Pralle Sonne tut meiner Haut sowieso nicht gut. Neulich ertappte ich mich dabei, daß ich Anneliese ein wenig kopierte und mein Lieblingsplätzchen in abgetragenen Klamotten aufsuchte. Zwar soll angeblich aller Segen von oben kommen, aber meine zartgrauen Seidenkleider sind nun einmal nicht gegen Kirschsaft oder tierische Exkremente imprägniert.

Ein großer Baum ist für mich ein Wunderwesen; im Frühling sieht der alte Geselle wie ein riesiger weißer Blumenstrauß aus, Bienen summen, Vögel zwitschern. Jetzt, Anfang Juli, fallen schon angefaulte und verhutzelte Kirschen herunter. Anneliese konnte nur einen Bruchteil ernten und zu Marmelade verarbeiten. Auch die Nachbarn, die herzlich zum Pflücken eingeladen wurden, kauften sich ihr Obst lieber im Supermarkt, ohne sich Hände und

Hose beim Klettern schmutzig zu machen. So blieb genug für die Amseln übrig. Manchmal, wenn ich unter dem Baum sitze und lese, beobachtet mich ein neugieriges Eichhörnchen. Ich habe beschlossen, im Winter täglich eine Nuß auf das Fensterbrett zu legen, um eine behutsame Zähmung einzufädeln. Ein Haustier wollen wir uns nicht mehr anschaffen, aber die Freundschaft mit einem selbständigen Wildfang wäre eine reine Lust.

Erst 1954 ist Annelieses Papa als einer der letzten deutschen Soldaten aus russischer Kriegsgefangenschaft zurückgekommen. Vielleicht hat sie, weil sie mehr oder weniger nur unter Frauen aufgewachsen ist, einen ewigen Nachholbedarf an Beachtung, Lob und Anerkennung durch Männer. Eigentlich war sie ja lange genug verheiratet, hat außer ihren beiden Töchtern auch zwei Söhne, aber trotzdem gerät sie in Anwesenheit eines Mannes stets ein wenig außer sich.

Ich nehme ihr den Diebstahl immer noch übel. Sie behauptet zwar, Brosche, Ring und Ohrgehänge seien vom Tisch direkt in ihren Schoß gerutscht, aber das mag glauben, wer will. Lange habe ich überlegt, ob ich sie bei Rudi anschwärzen soll, habe es aber bis jetzt nicht übers Herz gebracht. Durch das hektische Hin und Her am Ende haben die Russen offenbar gar nichts vermißt. Außerdem ist sich Anneliese sicher, daß die in Windeseile beschafften Moneten nicht ehrlich erworben sein können, und fühlt sich dadurch im Recht.

Still unter dem Kirschbaum sitzen und lesen, wie ich das liebe, das ist Annelieses Sache nicht. Wenn sie in den Garten geht, muß sie ständig herumpusseln, hier eine verwelkte Rose abschneiden, dort eine illegal eingewanderte Brennessel herausreißen. Aber sie hat inzwischen verstanden, daß ich meine Ruhe haben möchte. Es muß sich also um etwas Wichtiges handeln, wenn sie so temperamentvoll querbeet getrampelt kommt.

»Wir kriegen schon wieder Herrenbesuch!« ruft sie triumphierend. »Und diesmal gilt er mir!«

Ich soll raten, wer es ist, treffe aber mit keinem meiner Vorschläge ins Schwarze.

»Es ist Ewald!« sagt sie strahlend. Von dem hatten wir es doch neulich: ihr erster Verehrer aus der Tanzstunde, der Mensch mit der stinkigen Kordjacke.

»Du hast mir gar nicht erzählt, daß ihr noch Kontakt habt«, sage ich verwundert.

Tatsächlich hatte sie jahrzehntelang nichts von ihm gehört, beide waren weggezogen, hatten geheiratet und sich aus den Augen verloren. Zufällig waren sie sich nach fast fünfzig Jahren auf dem

Friedhof der Heimatstadt begegnet, als sie die Gräber ihrer jeweiligen Eltern besuchten. Man plauderte eine Weile und tauschte ganz unverbindlich die Adressen aus. Seitdem herrschte Funkstille.

»Gerade hat er angerufen«, sagt Anneliese, »gestern hat er nämlich seine Frau in eine Heidelberger Klinik gebracht, und dabei ist ihm eingefallen, daß es nur knappe zehn Kilometer bis zu mir sind. Was blieb mir anderes übrig, als ihn zum Tee einzuladen!«

Da ich wenig Lust habe, den alten Knaben über seine kranke Frau jammern zu hören, beschließe ich, dieses Tête-à-tête nicht zu stören.

Erwartungsgemäß hat Anneliese nichts dagegen, daß ich sie mit ihrem Ewald allein lasse. Da es heute nicht sonderlich warm ist, beschließe ich, den Schloßpark zu durchwandern. Einer der Gründe, warum ich hierhergezogen bin, ist die zauberhafte Gartenarchitektur vergangener Zeiten. Zwar ist auch Annelieses Biotop zum Lesen und Kaffeetrinken ideal, aber ihm fehlt die Weite. Seit ich in Schwetzingen lebe, habe ich zudem das Gefühl, mich zu wenig zu bewegen. Nicht zuletzt wird es an Annelieses Küche liegen, daß ich mich nach jedem Essen wie ein Walroß fühle.

Der Park ist glücklicherweise in wenigen Minuten zu erreichen. Als Kurfürst Carl Theodor Mitte des 18. Jahrhunderts das Schloß als Sommerresidenz bewohnte, wurde mit dem Schloßgarten eine der schönsten europäischen Parkanlagen geschaffen.

Wie stets überquere ich zügig die Zähringer Straße, stecke meine Dauerkarte in den Automaten und passiere den südlichen Eingang, wo sich eine japanische Touristengruppe versammelt hat. Hinter dem apricotfarbenen Schloß halte ich kurz an, um den Blick durch die Mittelachse vom Arions-Brunnen bis zum großen Weiher zu genießen. Wie popelig erscheint mir auf einmal Annelieses Zwergengarten mit seinen kleindimensionierten Rabatten und dem winzigen Rasenstück! Da kann ein einziger großer Baum auch nicht mehr viel retten.

Wie prächtig ist doch der französische Barockgarten, der sich neben der Hauptallee durch Laubengänge, Hecken, Haine und über zierliche Bogenbrücken bis zum Wasser hinzieht! Eine kurze Pause gönne ich mir erst an der Orangerie, von wo es nicht mehr weit bis zum Apollo-Tempel ist. Am großen Weiher setze ich mich auf das Ufermäuerchen, weil ich mich in zwei steinerne Flußgötter verliebt habe. Mit einer gewissen Wehmut denke ich an den Vier-Ströme-Brunnen von Bernini auf der römischen Piazza Navona. Dort fotografierte mich mein Mann, als wir noch ein glückliches Paar waren.

Doch auch hier geht es fröhlich zu. Großeltern und ihre Enkel füttern die Enten. *»Vieni, vieni!«* lockt ein italienisches Kleinkind furchtlos einen Schwan heran, in Rom hatten mir wiederum oft deutsche Worte in den Ohren geklungen. Ein wenig später schlendere ich durch den englischen Landschaftsgarten, wo es wilder und einsamer wird. Hat Anneliese hier den Bärlauch geerntet? Im Gras entdecke ich aber bloß eine liegengebliebene rote Strickjacke.

Es entspricht eigentlich meiner Erziehung, Fundsachen an der Kasse abzugeben, aber mir ist kühl, die Jacke paßt wie angegossen und wärmt. Kurz entschlossen behalte ich sie an und fühle mich durch die ungewohnte Farbe seltsam beschwingt und wie neugeboren.

Kurz darauf taucht ein Paar auf, das suchend die Wege abgeht. Etwas beschämt beginne ich bereits, die Jacke wieder aufzuknöpfen, als mich ein gleichgültiger Blick der jungen Frau streift. Anscheinend feit mich eine Tarnkappe vor Bloßstellung. Gut, flüstere ich trotzig, wenn ältere Menschen doch nur Luft für dich sind, dann kannst du dir dein Jäckchen eben in den Wind schreiben.

Während Anneliese ihren Gast mit selbstgebackener Himbeertorte füttert, lasse ich in einem spontanen Impuls die orientalische Moschee links liegen und nähere mich ganz gegen meine Prinzipien dem Schloßcafé. Soll meine schlanke Taille doch zum Teufel gehen, sage ich mir trotzig, bisher hat sie mir wenig Komplimente eingebracht. Ohne Skrupel bestelle ich mir den größten Eisbecher, den ich auf der Speisekarte finden kann.

Um sieben bin ich wieder zu Hause. Anneliese hat verräterisch rote Wangen und lügt: »Schade, du hast ihn gerade verpaßt!«

»Und? Wie war's?«

Anneliese hält mir ein Foto hin: »Sieh mal, hat er mir mitgebracht!«

Es ist eine vergilbte Aufnahme aus unserer Tanzstunde; die gezackten Ränder sind eingerissen, als habe jemand das Foto vernichten wollen. Das tanzende Paar sieht nach heutigen Maßstäben nicht sonderlich elegant aus, rührt mich aber in seiner tolpatschigen Unbeholfenheit. Damals sah Ewald eigentlich gar nicht schlecht aus. Jedenfalls muß er seinen Besuch durchaus geplant haben, wenn er dieses Foto extra von zu Hause mitbrachte. Oder hat er es etwa fünfzig Jahre lang in der Brieftasche herumgetragen?

»Wie sieht er denn heute aus?« frage ich.

»Gut«, sagt sie sofort, »sogar sehr gut. Groß, graue Schläfen, braungebrannt, kraftvoll. Eine Mischung aus John Wayne und Cary Grant. Obwohl er zwei Jahre älter ist als wir, war er bis vor kurzem noch leidenschaftlicher Segelflieger! Er muß unwahrscheinlich mutig sein. Aber er hat es nicht leicht gehabt im Leben und in den letzten Jahren schon gar nicht!«

Auf Mitleid machen ist immer noch die älteste Masche der Welt. »Und seine Frau versteht ihn nicht«, sage ich.

»Ja, das stimmt irgendwie«, sagt Anneliese treuherzig. »Und ich kann ihm die Probleme mit einer chronischkranken Partnerin nachfühlen. Die letzte Zeit mit Hardy war geradezu ein Martyrium für mich! Mit Ewalds Frau sieht es nicht viel besser aus. Bei rheumatischer Polyarthritis wird man ständig von Schmerzen geplagt und ist übellaunig, gereizt und ungerecht.«

»Stirbt sie denn wenigstens bald?« frage ich.

Anneliese hört die Ironie nicht heraus. »Danach konnte ich nicht direkt fragen«, sagt sie, »aber ich fürchte, es sieht nicht so aus. – Was hast du denn da für eine Jacke an? Rot paßt gut zu deinem ewigen Grau, so etwas Flottes hättest du dir längst schon zulegen sollen.«

Sie zupft Grashalme von meinem Rücken und spöttelt nun auch ein wenig: »Aber sich gleich damit auf die Wiese hauen, das ist doch sonst nicht deine

Art! Hatte die Lady vielleicht ein pikantes Abenteuer?«

Ich verschweige die Herkunft meiner Errungenschaft und komme wieder auf Ewald zu sprechen.

»Jetzt wird er ja längst Rentner sein, aber was hatte er vorher für einen Beruf?« frage ich.

Anneliese will mich raten lassen. »Mit M fängt's an«, hilft sie mir auf die Sprünge.

Also mache ich ihr die Freude und schlage Metzger, Musiklehrer, Matrose und Müller vor.

»Maschinenbau-Ingenieur«, sagt sie schließlich. »Leider haben alle Männer, mit denen ich zu tun habe, langweilige Berufe.«

Mir ging es nicht anders als ihr: Hardy war Gewerbelehrer, Udo Speditionskaufmann. Doch wir selbst haben uns in jungen Jahren auch nicht unsere Traumberufe aussuchen können – Anneliese wurde Chemielaborantin, ich habe vor der Heirat ein paar Semester studiert, um Grundschullehrerin zu werden.

»Percy war Antiquitätenhändler und Rudi ist es jetzt auch«, fällt mir ein, »dagegen läßt sich doch nichts einwenden. Warum hast du heute eigentlich nicht den neuen Schmuck angelegt?«

Anneliese druckst herum. »Morgen ist auch ein Tag«, sagt sie schließlich und wird tatsächlich rot.

Das macht mich neugierig. »Wenn du mir versprichst, daß es morgen Obstkuchen und keine Operetten gibt, werde ich John Wayne persönlich begutachten.«

Welche Filme mag Anneliese bloß gesehen haben? Ich entdecke keinerlei Ähnlichkeit mit besagten Stars. Ewald ist zwar groß, aber sonst stimmt ihre Beschreibung von vorn bis hinten nicht. Seine Schläfen sind in der Tat grau, doch seine Haare haben sich sehr gelichtet und die Stirn ist zerfurcht.

Im Gegensatz zu mir erinnert er sich noch gut an die vergangene Zeit.

»Wir beide haben meistens langsamen Walzer miteinander getanzt«, sagt er zu mir. »Am liebsten mochten wir *Ich tanze mit dir in den Himmel hinein...*«

Nun ist es passiert, Anneliese jault sofort in den höchsten Tönen: »*... in den siebenten Himmel der Liebe...*«

Ich werfe ihr einen so bösen Blick zu, daß sie verstummt. Es ist im übrigen nicht wahr, was er sagt, ich mochte diesen Evergreen überhaupt nicht, Ewald verwechselt mich wahrscheinlich mit einem anderen Mädchen.

»Und was war *unser* Lied?« fragt Anneliese. Ewald meint, es könne vielleicht der *Tango nocturno* gewesen sein, ist sich aber nicht mehr sicher.

Ein kleiner Triumph für mich, obwohl ich ja genau weiß, daß er sich niemals für mich interessiert hat.

»Wie geht es Ihrer Frau?« frage ich höflich, um das Thema zu wechseln.

Anneliese mischt sich sofort ein. »Früher habt ihr doch du zueinander gesagt«, meint sie, es sei doch selbstverständlich, daß wir auch heute …

»Wirklich?« fragt Ewald. »Wir waren ja als Jugendliche geradezu lächerlich konventionell! Aber von mir aus, prost, Lore! Meiner Frau geht es leider seit Jahren immer schlechter. Vielleicht kann man ihr in dieser Klinik helfen!«

Nach dem Kaffeestündchen lasse ich Anneliese mit ihrem Gast allein, von mir aus kann sie ihn ebenso wie die Biskuitrolle vernaschen. Ich bin mir nicht ganz klar, ob ich Ewald nett finden soll. Wir haben eine Weile über das Segelfliegen gesprochen, und er konnte immerhin nachvollziehen, daß ich als junges Mädchen Pilotin werden wollte.

»Es gibt nichts Schöneres als die Schwerelosigkeit«, sagte er und sah mir wie einer Verbündeten eine ungebührliche Sekunde zu lange in die Augen. Hoffentlich hat sich Anneliese nicht einen zweiten Pelzrücker angelacht.

9

Bekanntlich soll es in Wohngemeinschaften häufig Streit geben. Meistens geht es wohl darum, wer einen unappetitlichen Rand an der Badewanne hinterlassen hat, wer zu selten den Müll hinausträgt, wer den Küchenboden nicht aufgewischt hat und dergleichen mehr. Auch bei jungen Ehepaaren sieht es ähnlich aus, denn die Rollenverteilung ist ja nicht mehr so festgelegt wie zu meiner Zeit. Nie hätte ich gedacht, daß auch zwei gestandene Hausfrauen diesbezüglich Differenzen haben könnten.

Ich gebe gerne zu, daß ich keine so große Familie hatte wie Anneliese und deswegen wohl penibler bin. Aber ist es wirklich nötig, daß sie die Wäsche nur nach 30 oder 60 Grad sortiert und weiß und bunt gemeinsam in die Maschine stopft? Schon nach kurzer Zeit sind meine blütenweißen Dessous grau oder auch rosa, hellblau oder gelblich geworden.

Ärgerlich ist auch ihr Umgang mit dem Silberbesteck, das sie gnadenlos der Spülmaschine ausliefert. Inzwischen habe ich meine eigenen Messer, Gabeln und Löffel aus dem Verkehr gezogen, was natürlich schade ist. Ich erwog bereits, das mit Monogramm versehene Jugendstilbesteck meinem Sohn zu überlassen. Doch Christians Frau würde das Silber auch nicht pflegen. Sie bevorzugt aus praktischen Gründen Edelstahl.

Haare im Waschbecken sind bei uns ein Thema, über das sich Anneliese mokiert. Leider scheint es zu stimmen, daß ich meine weißen Haare übersehe, wenn sie beim Kämmen herumfliegen. Ich wiederum mag es nicht, wenn sie den Duschvorhang nicht auseinanderzieht, damit er trocknet, ohne zu schimmeln.

Doch im Grunde sind das Bagatellen, über die man als lebenserfahrene Frau hinwegsehen könnte. Geräusche gehen mir allerdings wirklich auf die Nerven, aber ich traue mich nicht, Anneliese auf eine spezielle Unart anzusprechen. Wegen lückenhafter Zähne im Oberkiefer muß sie eine Teilprothese tragen. Deswegen scheint sie Probleme mit der Spucke zu haben, die sie schnalzend, schlürfend und schmatzend aus den Tiefen ihrer Mundhöhle zusammenzieht und deutlich vernehmbar wegschluckt.

Über andere Schrullen kann ich wenigstens offen reden, und inzwischen weiß sie auch, daß ich es nicht mag, wenn ihr Radio ständig dudelt. Meistens nimmt sie jetzt Rücksicht auf mich, wenn ich aber in meinen eigenen Räumen bin, dreht sie auf Diskolautstärke; ich kann mich nur wundern, warum sich die Nachbarn noch nie beschwert haben. Anneliese kann es dagegen nicht leiden, daß ich mich so leise durch das Haus bewege. Sie fährt immer zusammen, wenn ich vor ihr auftauche.

»Du hast mich fast zu Tode erschreckt!« wirft sie mir vor, und an mein hinterhältiges Anschleichen könne man sich nie gewöhnen. Soll ich mir deswegen Holzschuhe zulegen? Mag sein, daß wir beide leicht skurrile Gewohnheiten angenommen haben, die nicht mehr so recht kompatibel sind. Doch wir haben es im Laufe unseres Lebens gelernt, allein zurechtzukommen, und es ist Platz genug, um sich nach Belieben auszuweichen. Wie machen das wohl jene Leute, die sich in höherem Alter noch einmal verlieben und womöglich nach langer Abstinenz wieder in einem Doppelbett schlafen?

Wie komme ich eigentlich auf solche Gedanken? Vielleicht, weil sich Ewald heute schon wieder angemeldet hat. Anneliese und ich haben herumgerätselt, warum er seine Frau nicht einfach in der Obhut der Ärzte läßt und zurück nach Hause fährt. Aber er scheint finanziell ganz gut gestellt zu sein und kann sich sogar ein nobles Hotel in Heidelberg leisten.

Als wir am Nachmittag mit Ewald im Garten sitzen, spricht ihn Anneliese direkt darauf an.

»Zu Hause fiele mir die Decke auf den Kopf«, sagt er. »Hier habe ich zwei charmante Gesellschafterinnen und fühle mich in meine Jugendzeit versetzt. Oder gehe ich euch bereits auf die Nerven?«

Wir beeilen uns, das Gegenteil zu versichern. Als sein Handy klingelt, entschuldigt er sich, bevor er das Gespräch annimmt. Es ist seine Frau, mutmaße ich. Ewald steht auf und geht ein paar Schritte in den Garten hinein. Allmählich finde ich auch, daß er sehr gut aussieht.

Anneliese und ich tun zwar so, als würden wir nicht lauschen, aber wir spitzen doch beide die Ohren. Sein Ton ist nicht gerade von überwältigender Freundlichkeit, aber immerhin verstehe ich so etwas wie *Spatz*. Udo hatte zum Glück keine Kosenamen für mich, bloß in ganz jungen Jahren hat er mich manchmal *Liebchen* genannt, denn er stammte aus dem Rheinland. Ob er seine zweite Frau nun auch so anredet? Obwohl ich Udo auf keinen Fall zurückhaben möchte, bekomme ich bei dieser Vorstellung fast Magenkrämpfe.

Ewald beendet das Gespräch, steckt das Handy ein und setzt sich mit mißmutigem Gesicht wieder auf seinen Platz.

»Schlechte Nachrichten?« fragt Anneliese.

»Manchmal ist es zum Heulen«, sagt er, »Bernadette...«

»Wer?« fragen Anneliese und ich wie aus einem Mund.

»Meine Frau heißt Bernadette«, sagt er, »nach der Heiligen von Lourdes. Ein so edler Name hat mich damals gleich fasziniert.«

»Geht es ihr wieder schlechter?« fragt Anneliese mit geheuchelter Anteilnahme.

»Schwer zu sagen. Bei Bernadette bin ich mir nie sicher. Sie war schon immer wehleidig, hat aber auch starke Schmerzen. Gegen die vielen Medikamente scheint sie weitgehend immun geworden zu sein...« Ewald bricht ab und schaut mit düsterem Blick in die Tiefe des Gartens.

»Wie lange hat es eigentlich nicht geregnet?« fragt er schließlich. »Euer Kirschbaum kriegt mitten im Sommer schon gelbe Blätter.«

»Das ist ein sehr alter Baum«, sagt Anneliese, »er wird es leider nicht mehr lange machen. Im letzten Sommer ist ein großer Ast mit reifen Kirschen einfach abgekracht. An der Bruchstelle konnte ich erkennen, daß der Stamm teilweise innen hohl ist. Zum Glück wohnte Lore damals noch nicht hier, denn genau an dieser Stelle ist ihr liebstes Plätzchen.«

Etwas befremdet sehe ich meine Freundin an.

Warum hat sie mir das bisher verschwiegen? Wie, wenn jetzt ein zweiter großer Ast abbräche und mich erschlüge?

»Wir sind doch selbst wie alte Bäume«, sagt Ewald melancholisch, »morsch, hohl und reif für die Axt des großen Gärtners!«

»Aber du doch nicht!« sage ich mit Wärme.

Seine Miene hellt sich sofort wieder auf. »Ihr beiden auch nicht«, meint er herzlich.

Wir schweigen alle drei und schauen einer Amsel zu, die ganz in der Nähe unserer Sitzecke ihr Nest auf einem Fensterladen gebaut hat, ihre Jungen füttert und sich nicht von uns stören läßt.

Als auch mein Telefon klingelt, flitze ich hinauf ins obere Stockwerk. Es ist Rudi, von dem ich seit unserem Ausflug nach Baden-Baden nichts mehr gehört habe. Es gibt keine besonderen Neuigkeiten.

»Heute war ein Soldat der 1. amerikanischen Panzerdivision im Laden«, erzählt er, »der suchte doch tatsächlich nach einem Eisernen Kreuz aus dem Zweiten Weltkrieg! Ich habe ihm aber den teuren französischen Orden der Ehrenlegion andrehen können.« Anscheinend hat weder Rudi noch seine russische Kundschaft den geklauten Schmuck vermißt.

Mit dem Hörer am Ohr stelle ich mich ans Fenster, von wo ich einen guten Ausguck auf die Terrasse habe. Anneliese hat ihre Hand auf Ewalds

Arm gelegt und redet fast beschwörend auf ihn ein. Er lächelt und zieht sie plötzlich an sich.

Ich bin so wütend, daß ich Rudi grundlos brüskiere. »Anstandshalber hättest du dich ja längst mal melden können, aber Dankbarkeit ist wohl nicht dein Ding«, fahre ich ihn an und lege auf. Sofort tut es mir leid, aber ich bin zu stolz, um noch einmal anzurufen und mich zu entschuldigen.

Dann gehe ich ins Schlafzimmer und stelle mich erst einmal schwer atmend vor den Spiegel. Bin ich nicht viel schöner als meine dicke Freundin? Wie kann sich dieser Trottel nur so plump an Anneliese heranmachen! Und warum rege ich mich eigentlich so auf? Will ich etwa auch von Ewald geküßt werden? Ich will einen solchen Casanova doch nicht einmal geschenkt haben! Nach fünfminütiger Atempause bin ich wieder einigermaßen im Lot und begebe mich hinunter.

»Schönen Gruß von Rudi«, sage ich beiläufig.

Die beiden Turteltauben machen ein Gesicht, als könnten sie kein Wässerlein trüben. Ewald verabschiedet sich bald.

»Eigentlich habe ich erwartet, daß er zum Abendessen bleibt«, meint Anneliese und stellt die Kaffeetassen zusammen. »Als du oben warst, hat Ewald mir sein Herz ausgeschüttet. Es ist ja ein Elend mit seiner Frau!«

»Dann wird wohl bald ein Bärlauchsüpplein fällig«, meine ich.

Anneliese nimmt meine Worte ernst. »Männer sind diesbezüglich ziemlich lahm«, sagt sie, »an seiner Stelle hätte ich schon längst etwas unternommen.«

Allmählich platzt mir der Kragen. »Bist du noch nie auf die Idee gekommen, daß Ewald seinen Spatz vielleicht liebt? Er hat sich extra im Hotel einquartiert, um ihr nahe zu sein und sie zweimal am Tag zu besuchen. Spricht das etwa dafür, daß er sie loswerden will?«

»Ach, was weißt denn du«, sagt Anneliese.

Manchmal liege ich im Bett und ziehe Bilanz über mein bisheriges Leben. Ich muß es hinnehmen, daß ich umständlicher werde, aber in meinem Alter kann man sich sowieso kaum mehr ändern und muß akzeptieren, daß man noch nie perfekt war. *Troisième âge* nennen die Franzosen das Rentnerdasein. Richtig alt fühlen wir uns zwar nicht, aber auf keinen Fall noch jung. Morgen werde ich Anneliese fragen, ob sie das ebenso empfindet oder ob sie immer weiter davon träumt, sich wie ein Teenager zu verlieben. Immerhin ist mir aufgefallen, daß sie ihre Kleidung sorgfältiger aussucht, seit ihr Tanzstundenherr uns besucht. Es könnte sogar sein, daß sie abnehmen will, denn sie läßt nach der täglichen Kuchenschlacht das Abendessen ausfallen.

Mit Ewald sprachen wir gestern davon, über wie viele Jahrzehnte unser Leben von Aufgaben bestimmt war, die wir uns nicht ausgesucht hatten. Bei Männern ist es der Beruf, der stets auch Ärger, Stress, langweilige Routine oder gar Mißerfolg bedeutet, bei berufstätigen Frauen sind es zusätzlich noch Haushalts- und Familienpflichten, die täglich neu bewältigt werden müssen. Endlich sind wir weitgehend davon frei, aber nutzen wir die geschenkte Zeit? Durch unsere zunehmende Verlangsamung halten wir uns leider oft so ausgiebig mit alltäglichen Verrichtungen auf, daß wir wieder nicht zum Kern unserer Bedürfnisse vorstoßen. Einige aus unserer ehemaligen Schulklasse haben neue Hobbys entdeckt, engagieren sich für gemeinnützige oder karitative Belange, eine zieht sogar ein verwaistes Enkelkind auf, manche lernen Fremdsprachen, besuchen Vorlesungen, wandern, reisen. Und wir? Reicht es, wenn ich ein wenig lese und Anneliese ihre Blumen gießt?

Es ist in Ordnung, sage ich mir, wir können tun und lassen, was wir wollen. Und die meisten unserer Bekannten beneiden uns um unsere langjährige Freundschaft und um die Idee, auf die alten Tage zusammenzuleben. Wir begründen es meistens mit praktischen Aspekten. Sollte eine von uns einmal krank werden oder sonstige Hilfe brauchen, dann muß nicht immer gleich nach Verwandten gerufen werden. Unsere Kinder sind vielbeschäftigt und weit weg.

Auch Ewald hat zwei Kinder, und er liebt es, über sie zu lästern. Anneliese hat listig nachgefragt, warum sich seine Tochter nicht Urlaub nimmt, um eine Weile die kranke Mutter zu vertreten.

»Für pubertierende Kinder sind Vati und Mutti wohl schwer zu ertragen«, sagt Ewald. »Aber noch schlimmer ist es für alte Eltern, wenn der erwachsene Nachwuchs anrückt und sie bevormunden möchte. Papa, du solltest mehr Obst essen! Papa, warum gehst du nicht mal ins Kino! Papa, dein Computer ist ein Fossil und muß entsorgt werden! Und so geht das dann den lieben langen Tag.«

Anneliese pflichtet ihm bei. Auch ihre vier Kinder, die alle schwierig waren, sparen nicht mit gutgemeinten Ratschlägen. Einen Rechner besitzt sie zum Glück nicht, aber der eine Sohn will das riesige Radio verschrotten, der andere im Keller eine Sauna einbauen, die eine Tochter möchte ihre Mutter bei einem Handy-Kurs anmelden, die andere füllte die Garage mit einem gigantischen Vorrat an salzhaltigem Mineralwasser, weil alle Alten angeblich zu wenig trinken. Ich mag mein einziges Kind nicht anschwärzen, aber ich erinnere mich genau, daß Christian unsere Möbel um etwa die Hälfte reduzieren wollte. Entsorgen ist das Schlagwort, das wir im Zusammensein mit der jungen Generation ständig zu hören kriegen.

Wir möchten aber liebgewonnene Gegenstände, die uns ein Leben lang begleitet haben, nicht einfach auf den Müll kippen. Am Ende besteht man darauf, daß auch wir selbst mit achtzig Jahren entsorgt werden, weil wir dem Zeitgeist nicht mehr entsprechen.

10

Es ist nicht fair von Anneliese. Über meinen Kopf hinweg macht sie Ewald einen wohlüberlegten Vorschlag, der spontan klingen soll. »Du, mir kommt plötzlich eine Idee! Wenn du länger in Heidelberg bleiben willst, könntest du auch bei uns wohnen. Das ist billiger und vielleicht ein bißchen netter.«

Ewald reagiert verblüfft, doch bestimmt ist es nur Theater, und sie haben sich hinter meinem Rücken längst geeinigt.

»Das kann ich unmöglich annehmen!« sagt er kopfschüttelnd. »Aber danke für das liebenswürdige Angebot!«

Schon nach einem kurzen Geplänkel scheint er Annelieses Offerte bis auf einen kleinen Einwand durchaus zu akzeptieren.

»Bernadette neigt zur Eifersucht«, gibt er zu bedenken. »Sie könnte es falsch interpretieren, wenn ich abends nicht mehr im Hotel erreichbar bin. Am besten wäre es, mein holdes Weib würde euch persönlich kennenlernen und sich mit eigenen Augen von der Harmlosigkeit unserer Freundschaft überzeugen.«

Der Gesundheitszustand seiner Frau lasse es durchaus zu, daß er sie demnächst zum Nachmittagskaffee mitbringe. Anneliese nimmt ihn beim Wort; übermorgen passe es gut, meint sie.

Meine Freundin ist nervös, und ich ahne, was in ihr vorgeht. Soll sie als biedere Hausfrau auftreten, die zwar guten Kuchen bäckt, aber bestimmt keine Femme fatale ist? In diesem Fall hätte Bernadette sicher nichts dagegen, wenn ihr Mann bei uns logierte. Oder soll Anneliese lieber ihren Witz und ihr Temperament zum Einsatz bringen? Wenn die mißtrauisch gewordene Ehefrau daraufhin ihrem Mann die Hölle heißmacht, wird er sich um so mehr auf Annelieses Heiterkeit besinnen. Mir kann das egal sein. Aber wohl ist mir nicht bei dem Gedanken, daß Ewald womöglich in unser Fremdenzimmer übersiedelt.

Endlich wird unsere Neugier befriedigt. Aus dem Auto steigt eine kleine und extrem dünne Person, die wir vom Flurfenster aus genau taxieren. Bernadette ist das schiere Gegenteil von Anneliese, mag sein, daß Ewald deswegen Appetit auf einen kompakten Brocken bekommen hat.

Fürs erste begnügen wir uns mit Small talk. Bernadette antwortet auf unsere Frage, daß sie mit der

Privatklinik relativ zufrieden sei und daher den Aufenthalt verlängern möchte.

»Leider muß ich es selbst bezahlen, die Krankenkasse hat die Kostenübernahme abgelehnt. Doch was würde man nicht für die eigene Gesundheit tun!«

»Alles, Spatz, alles!« sagt Ewald.

Diesmal gibt es eine köstliche Käsesahnetorte, aber Bernadette rührt nichts an. Auch den Kaffee verschmäht sie, denn sie sei nun mal überzeugte Teetrinkerin. Aber bitte keinen schwarzen Tee, sondern Pfefferminz oder Kamille.

Gehorsam bringt Anneliese das Gewünschte auf den Tisch und die Rede auf unsere Jugendzeit. Wir erfahren, daß Bernadette ein ganzes Ende jünger ist als wir. Doch bedingt durch ihre schwere Krankheit, sieht sie nicht wie eine guterhaltene Mittsechzigerin, sondern eher wie das Leiden Christi aus. Ich starre auf ihre knochigen Finger, auf den klobigen Siegelring, der sich bei jeder Bewegung verdreht und zurechtgerückt werden muß, auf die vielen Altersflecken am Handrücken, auf ihre müde, ja gelangweilte Miene. Bernadette trägt ein malvenfarbiges Twinset und viel zu weite, beige Hosen. Es scheint so, als habe sie erst vor kurzem stark abgenommen. Ihre Stimme ist rauh und klingt ein klein wenig versoffen. Vielleicht hat sie ein Alkoholproblem.

Ewald kannte seine Frau noch lange nicht, als er mit uns die Tanzstunde besuchte. Bei gemeinsamen Erinnerungen gerät er ins Schwärmen, wie sanft man damals zu sentimentalen Melodien Wange an Wange dahingleiten konnte. Er sehe mich in meinem verführerisch schwingenden Rock direkt vor sich. Bernadette hört kaum zu und ist mit ihren Gedanken ganz woanders. Ob sie unter Medikamenten steht oder immer eine so trübe Tasse ist? Mühsam versuche ich, sie ins Gespräch einzubeziehen.

Erst lange nach uns lernte Bernadette das Tanzen, aber immerhin zehn Jahre vor der Ära Minirock; sie erinnert sich gerade noch an Caterina Valente und den Schlager *Ganz Paris träumt von der Liebe*.

»Diese unsäglichen Schnulzen haben mir schon als Kind nicht gefallen«, sagt sie. »Ich habe immer davon geträumt, Pianistin zu werden. Doch diesen Wunsch habe ich meinem Mann zuliebe aufgegeben.«

»Leider bin ich ein schrecklicher Banause«, klagt Ewald, »und gerade die gefühlvollen Schmachtfetzen höre ich immer wieder gern! Bernadette hätte einen musikalischeren Mann verdient, aber sie hat in diesem Punkt wirklich Pech gehabt.«

»Welche Musik bevorzugen Sie denn?« frage ich.

Wir erfahren, daß sie in den letzten Monaten nur eine ganz bestimmte Bach-Kantate hören mag, von der sie sieben verschiedene Einspielungen besitzt.

Anneliese ist ein wenig stiller geworden. Ich bin mir sicher, daß heute das Lied vom Borstenvieh und Schweinespeck nicht zur Aufführung kommt.

»Um welche Kantate handelt es sich?« fragt sie mit gekünsteltem Interesse.

Bernadette erwacht aus ihrer bisherigen Lethargie.

»Wenn man so leidet wie ich, ist nur ein einziges Thema angemessen«, sagt sie und krächzt: »*Ich habe genug.*«

Ich empfinde fast Sympathie für die depressive Bernadette. Im Gegensatz zu Anneliese werde auch ich gelegentlich von Todessehnsucht heimgesucht und habe mir in schwermütigen Stunden die gleichen Arien angehört. Und ich zitiere jene Zeile, die mich immer getröstet hat: »*Schlummert ein, ihr matten Augen, fallet sanft und selig zu!*«

Bernadette nickt anerkennend. »Am liebsten mag ich aber die 5. Arie«, sagt sie – ausschließlich zu mir – und raunt mit brüchiger Stimme: »*Ich freue mich auf meinen Tod! Ach, hätt' er sich schon eingefunden!*«

Bei Bernadettes makabrem Einsatz erhasche ich einen Seitenblick von Anneliese, der so schräg und perfide ist, daß ich fast erschrecke.

Anneliese ist es, die schließlich das düstere Thema beendet und die Rede auf das Leben und leider auf die Enkelkinder bringt. Ich sage leider, weil ich ihre Angeberei mit den süßen Kleinen nicht ertrage. Ich selbst kann mit Christians verwöhnten Söhnen, die bloß Forderungen an mich stellen, wenig anfangen. Aber nun ist nichts mehr zu machen, Anneliese rennt ins Haus, um Fotos zu holen. Bei ihren vier Kindern ist es nicht verwunderlich, daß sie die meisten Enkel hat, wenn auch die älteste Tochter und ein Sohn ledig und kinderlos geblieben sind.

Selbst Bernadette kramt ihre Brille und natürlich ein Foto heraus. Ihre einzige Enkelin ist eine ernste Prinzessin von etwa fünf Jahren. Nun übertrumpfen sich die Großmütter.

Ewald blickt zu mir herüber. »Und du?« fragt er.

»Zwei Jungen«, sage ich kurz, »aber ich mag jetzt nicht nach Fotos suchen.«

Er lächelt mich an. »Kann ich gut verstehen«, sagt er, »komm, zeig mir mal dein Lieblingsplätzchen!«

Wir stehen auf, wandern über den Rasen und setzen uns unter den Kirschbaum.

»Bernadette muß bald zurückgefahren werden, sie sollte zum Essen wieder in der Klinik sein«, sagt er. »Ich hoffe, es ist dir recht, wenn ich morgen mit meinem Koffer bei euch anrücke!«

Zum zweiten Mal sehen wir uns eine Sekunde zu

lange in die Augen, ich schüttle den Kopf. »Wir haben doch Platz genug«, sage ich matt.

Kaum sind unsere Gäste außer Sichtweite, fragen Anneliese und ich gleichzeitig: »Wie findest du denn die?«

Wir müssen kichern und können uns die Antwort sparen.

»Hat er eigentlich einen teuren Wagen, Lore?« erkundigt sich Anneliese, die von Autos nichts versteht.

»Kannst beruhigt sein«, antworte ich, »kein Protz, solide Mittelklasse.«

»Ich hätte gar nichts gegen Protz«, sagt sie. »Sieh mal, sie hat ihre Handtasche vergessen!«

Anneliese stürzt sich darauf und breitet den Inhalt auf der Gartenbank aus. Die Lesebrille und das Foto kennen wir bereits.

Anneliese kramt weiter. Kreditkarten, ein Notizbuch, ein Füllfederhalter, eine Pillendose mit Inhalt, Lippenstift, Spiegel, ein besticktes Taschentuch, ein Portemonnaie mit reichlich Bargeld, ein Schlüsselbund und ein Handy werden zutage gefördert. Eigentlich hat jede Frau den gleichen Kram in ihrer Tasche.

»Führerschein?« frage ich. Anneliese schüttelt den Kopf und blättert das Notizbüchlein durch. Mir gefällt die Szene nicht. Ob Anneliese ähnlich schamlos in meinen Schubladen schnüffelt, wenn ich nicht zu Hause bin? Im Grunde haben wir ja keine Geheimnisse voreinander, aber es geht ums Prinzip.

Anneliese findet auch ein Foto von Ewald, betrachtet es eingehend und hält es mir unter die Nase.

»Gefällt er dir nicht mittlerweile auch?« fragt sie mit einem Anflug von Besitzerstolz und stopft Bernadettes Sachen wieder in die Handtasche zurück. »Der Vergleich mit John Wayne war vielleicht zu oberflächlich, gerade entdecke ich etwas Faustisches in seinem Antlitz.«

»Seine Frau ist krank«, sage ich, »schon aus weiblicher Solidarität finde ich es nicht in Ordnung, wenn du sie austrickst und dich Ewald an den Hals wirfst!«

»Tu ich doch gar nicht! Im übrigen mag er dich im Grunde lieber als mich«, versichert Anneliese treuherzig. Von der Gartenarbeit hat sie einen gebräunten Teint, ihre blauen Augen leuchten mit den Smaragd-Ohrgehängen um die Wette. Heute trägt sie zur Feier des Tages ein schwarzgrundiges Dirndl mit einem Muster aus rosa Streublümchen. Der Ausschnitt ist keck und bringt den sommersprossigen und leicht knittrigen Busenansatz voll zur Geltung. Ich muß zugeben, daß Anneliese gut darin aussieht. Sie ist ein Naturkind, das wohl schon in jungen Jahren geringere Hemmungen hatte als ich. Ob Ewald das aus eigener Erfahrung weiß? Er trug heute eine Lederweste über dem blaukarierten Hemd und paßte schon optisch besser zu Anneliese als zu seiner bleichen Gattin. Das wird ja das reinste Melodram, denke ich: Luis Trenker und die Geierwally.

Während Anneliese die Küche aufräumt, schneide ich im Garten einen Blumenstrauß für mein Wohnzimmer. Auf keinen Fall will ich in den kommenden Tagen einen Logenplatz haben, wenn die liebestollen Alten ihr Bauerntheater aufführen. Ich muß meinen Privatbereich schützen. In den unteren Räumen könnte ich mich schon bald als Störenfried fühlen. Die gelben englischen Rosen haben es mir angetan, weil sie einen hauchzarten Duft verströmen. Ich stelle sie in eine barocke Silbervase, die noch aus meinem Laden stammt, und bin froh und dankbar, daß ich diesen Abend ganz allein am offenen Fenster verbringe und zuschaue, wie es langsam dunkel wird. Von unten tönt keine Musik zu mir herauf.

Vor dem Einschlafen kommt mir noch einmal die Bach-Kantate in den Sinn, und ich flüstere: *»Süßer Friede, stille Ruh.«*

Am nächsten Tag geht es mit der stillen Ruh abrupt zu Ende. Schon um elf klingelt Ewald Sturm und bringt sein Gepäck, denn er mußte das Hotelzimmer räumen. Da seine Frau ihre Lesebrille dringend braucht, fährt er gleich wieder davon, um die Handtasche zur Klinik zu bringen. Aber als ich mich gerade mit einem Buch unter den Kirschbaum zurückgezogen habe, taucht er an Annelieses Seite schon wieder auf. Die übliche Gartenbegehung ist fällig; die kundige Besitzerin nennt lateinische Blumennamen, erklärt die Kräuterbeete, glänzt mit botanischem Wissen. Ich mische mich nicht ein, verlasse aber fluchtartig mein Refugium, als Ewald kurz darauf mit knatterndem Getöse den Rasen mäht.

Später erfahren wir, daß sich Bernadette strikt gegen Ewalds Umsiedelung ausgesprochen hat. Und zwar nicht aus unterschwelliger Eifersucht, sondern eher aus Stolz. Man habe es wirklich nicht nötig, am Hotel zu sparen! Sie wisse auch gar nicht, wie man sich uns gegenüber erkenntlich zeigen könne.

Völlig ungerührt meint Anneliese: »Da muß sie sich nicht lange den Kopf zerbrechen. Ich bräuchte einen neuen Fernsehapparat. Und zwar so einen flachen mit übergroßem Bildschirm.«

Zum Mittagessen gibt es Pellkartoffeln, kalten Braten und Annelieses berühmte grüne Sauce mit Kräutern aus eigenem Anbau.

Ewald ist begeistert, er kannte dieses Gericht nicht.

»So etwas Schmackhaftes hat Bernadette noch nie auf den Tisch gebracht«, sagt er, »schade, daß sie es nicht probieren kann!«

»Kein Problem«, sagt Anneliese, »es ist genug übrig. Ich fülle rasch ein Marmeladengläschen!«

Mir wird angst und bange.

II

In Annelieses Elternhaus war man fromm; ihre Mutter hatte nie aufgehört, für den vermißten Vater zu beten. Als er aus russischer Gefangenschaft zurückkehrte, führte sie es auf ihren guten Draht nach oben zurück. Mir gefiel dieser Gedanke nicht besonders, da während des Krieges Tausende von Frauen ihre Männer vergeblich ins Gebet eingeschlossen hatten. Beim ersten gemeinsamen Mittagessen mit Annelieses Familie saß ich fröhlich plaudernd am Tisch und wollte mir gerade eine Gabel voll Kartoffelbrei einverleiben, als ich mir plötzlich der vorwurfsvollen Stille bewußt wurde. Ich schaute auf und sah, daß die ganze Familie mit gefalteten Händen auf mich wartete. Die Situation war mir unendlich peinlich, und ich nahm es Anneliese übel, daß sie mich nicht gewarnt hatte.

Sie hat die elterlichen Regeln meistens beherzigt und war im großen ganzen kein aufsässiges Mädchen gewesen, das man in unserer Jugend sowieso mit der Laterne suchen mußte. Ihre Mutter erzählte zwar, daß Annelieses erstes Wort nicht *Mama* oder *Papa*, sondern *Nein* gewesen sei, aber das war vielleicht Zufall. Nur einmal soll das Temperament mit ihr durchgegangen sein: In der kargen Nachkriegszeit wurde wochenlang Zwetschgenmus eingekocht, da Annelieses Großeltern einen Schrebergarten besaßen, der die Familie vor dem Verhungern rettete. Auch die Kinder mußten helfen und im großen Kessel der Waschküche den Brei umrühren. Oft trafen kochende Spritzer auf nackte Arme, und das Wehgeschrei war groß. Immer wieder wurde Nachschub geerntet, ohne Unterlaß füllte sich ein wandhohes Bretterregal mit Gläsern, dem ganzen Stolz der fleißigen Mutter. Die übermüdete Anneliese konnte schließlich nicht mehr. Ihr Tobsuchtsanfall ist in die Familiengeschichte eingegangen: Laut schreiend trat sie mehrmals so heftig gegen das Gestell, daß es umstürzte und sämtliche Gläser auf dem Steinboden zerschellten. Wegen der Glassplitter konnte nicht das kleinste bißchen gerettet werden.

Diese Tat gefiel mir gut. Ich hätte nie die Kühnheit zur Rebellion besessen. Heute kann wohl keiner mehr nachvollziehen, wie groß damals der Frevel war, Nahrungsmittel mutwillig zu zerstören.

Natürlich gibt mir diese Anekdote auch zu denken, denn in Anneliese steckt ein Potential an Wut und Mut, dem ich nicht ausgeliefert sein möchte. Neulich kam es zu den ersten Spannungen.

»Was gibt es heute zum Mittagessen?« fragte ich ganz harmlos und mußte mir anhören, daß Anneliese das Kochen leid sei. Dabei ist sie selber schuld, weil sie – seit Ewald hier ist – die Küchenarbeit komplett an sich gerissen hat. Offenbar traut sie mir nicht zu, ein gestandenes Mannsbild zu verwöhnen.

Ihr aggressiver Ton mißfiel mir; und wo sie einmal dabei war, zählte sie noch weitere Arbeiten auf, für die ich mir angeblich zu fein sei.

Ich gab zu bedenken, daß ich schließlich die Lebensmittel, die Putzfrau und alle vier Wochen den Gärtner bezahle. Außerdem hielt ich ihr vor, daß sie mehr als ich auf unsere WG angewiesen sei, weil sie mit ihrer popeligen Rente das Haus niemals halten könnte. Sicher war es undiplomatisch, ausgerechnet jetzt unsere finanzielle Ungleichheit ins Spiel zu bringen.

Anneliese rastete aus. »Du weißt genau, daß ich dreimal soviel arbeite wie Putzfrau und Gärtner zusammen, bloß damit du hier leben kannst wie die Made im Speck! Meinst du, ich würde nicht ebenfalls lieber in Seidenkleidern unterm Kirschbaum sitzen und lesen? Ich komme auch ohne deine Kohle klar, die kannst du dir sonstwohin stecken!«

Sie knallte die Tür zu und verzog sich in ihr Schlafzimmer.

Ewald war glücklicherweise außer Haus und bekam nichts davon mit. Womöglich hat er indirekt etwas mit unseren Differenzen zu tun. Seit er hier lebt, ist Anneliese mit ihrer Rolle als Hausmütterchen unzufrieden und sieht es nicht gern, daß ich mit Ewald täglich einen kleinen Spaziergang mache. Natürlich könnte sie uns begleiten, aber sie behauptet, mit dem Garten voll und ganz ausgelastet zu sein und nichts weniger zu brauchen als zusätzliche körperliche Betätigung. In Wahrheit ist sie durch ihr Übergewicht sehr schwerfällig geworden und kommt beim zügigen Laufen sofort außer Atem. Meistens sind wir ja auch bald wieder zurück, und sie hat ihren Ewald nach dem Kaffeetrinken ganz für sich.

Inzwischen hat sich eigentlich das Zusammenleben mit unserem Gast ganz gut eingespielt. Nach dem Frühstück besucht Ewald seine Frau und ist im allgemeinen zum Mittagessen wieder zurück. Ebenso wie Anneliese und ich hält er anschließend eine kleine Siesta; nach Spaziergang und Nachmittagskaffee hilft er regelmäßig im Garten, plaudert mit Anneliese oder liest die Zeitung. Gelegentlich betätigt er sich auch als Hausmeister, repariert zum Beispiel meine Nachttischlampe und den Toaströster.

Kurz nach dem Abendessen verläßt er uns meistens. Wir wissen nicht genau, ob er dann am Bett seiner Frau sitzt oder andere Interessen verfolgt.

Neulich war er ganz allein im Kino. Er hätte immerhin fragen können, ob wir auch Lust dazu hätten. Manchmal ist er den ganzen Nachmittag fort, kommt erst spät zurück und schmiert sich dann in der Küche ein Leberwurstbrot.

»Hat deiner Frau eigentlich die Grüne Soße geschmeckt?« habe ich neulich nachgehakt, denn anscheinend ist es nach dem Verzehr zu keiner Katastrophe gekommen.

»Danke, sehr gut«, sagt Ewald.

Kaum bin ich mit Anneliese allein, kann ich es mir nicht verkneifen, eine Bemerkung über die Kräutersoße fallenzulassen. »Eigentlich habe ich ja erwartet, daß du Bernadettes Extraportion ein wenig angereichert hättest...«

Anneliese nimmt es nicht mit Humor.

»Meinst du etwa, ich hole für andere Leute die Kastanien aus dem Feuer? Noch dazu, wo sich dieses Weib in einer Klinik aufhält? Für wie blöd hältst du mich eigentlich!«

Seit Ewald hier wohnt, schlafe ich schlecht. Nachts werde ich häufig wach und lausche auf Schritte in der Mansarde. Ob Ewald vielleicht die Treppe hinunter und in Annelieses Schlafzimmer schleicht? Kürzlich stellte er das Radio an, nicht laut, aber immerhin mitten in der Nacht. Was weiß ich eigentlich über diesen Mann? frage ich mich. Weder ist mir klar, ob er ein treuer Ehemann und guter Vater oder ein Casanova ist, noch erfahren wir viel über sein Privatleben. Über seine Frau spricht er nur in formelhaften Wendungen. Wenn er aber mit mir durch den Schloßgarten wandert, ist er ein wunderbarer Begleiter. Er interessiert sich sowohl für architektonische Details einzelner Gebäude als auch für allerlei exotische und einheimische Pflanzen.

Beim Augenarzt mußte ich lange warten, aber zum Glück gab es keine Hiobsbotschaften. Als ich endlich heimkomme, meinen Wagen abgestellt habe und aussteige, schallt mir schon auf der Straße laute Musik entgegen. Ich schließe die Haustür auf und möchte mir am liebsten die Ohren zuhalten oder augenblicklich auf jene Taste drücken, die den Lärm beendet.

Aber sie bemerken gar nicht, daß ich sie vom Flur aus beobachte. Sie haben den Teppich zusammengerollt und Stühle und Eßtisch zur Seite gerückt, um Platz für ein Aufleben ihres Tanzstundenglücks zu schaffen.

Schweben die beiden wie in Ewalds Lieblingslied bereits im siebenten Himmel der Liebe? Nun, von Schweben kann kaum die Rede sein. Es ist ein lächerlicher Anblick, wie die dicke Anneliese, hochrot im Gesicht und völlig aus der Puste, zu einer bäuerlichen Polka herumhopst. Ewald wiederum hat seine Jacke ausgezogen und schwitzt aus allen Poren. Es sieht so aus, als ob alle beide einen Herzinfarkt ansteuern. Wie oft haben sie ihren Seniorensport wohl schon betrieben, wenn ich nicht zugegen war? Und kommt das beiderseitige Keuchen wirklich bloß vom Tanzen?

Schließlich entdeckt mich Anneliese, läßt sich schnaufend auf einen Stuhl plumpsen und japst: »Jetzt ist Lore dran, ich kann nicht mehr!«

Der schweißgebadete Ewald, dem das Hemd aus der Hose hängt, zieht mich übermütig auf die Tanzfläche und befiehlt: »Keine Widerrede!«

Aber ich will nicht, reiße mich los und verlasse den Raum.

»Störrisch wie ein Maulesel«, ruft mir Ewald hinterher. Noch oben in meinem Zimmer dröhnt mir nicht nur die Musik, sondern auch sein schallendes Gelächter in den Ohren.

Wieder einmal versuche ich, meine Gefühle für Ewald zu analysieren. Bilde ich es mir nur ein, daß ich einen starken Eindruck auf ihn mache? Daß er sich ernsthafter mit mir unterhält als mit Anneliese? Daß er immer wieder anstrebt, gleicher Meinung mit mir zu sein, mir zu gefallen, mir das Gefühl zu geben, wir beide seien eine verschworene Einheit?

Nie hat er versucht, mich absichtlich oder wie aus Versehen zu berühren – bedeutet das Respekt oder Distanz?

Kurz nach der wilden Tanzerei wird unten die Musik abgestellt. Beim Abendessen lasse ich mir nicht anmerken, wie zurückgesetzt ich mich fühle.

Nach seiner Rückkehr aus der Klinik kommt mir Ewald auffallend still und nachdenklich vor. Irgend etwas muß vorgefallen sein, was ihn bedrückt.

Schon bald folgt die Erklärung: »Entschuldigt bitte, wenn ich etwas sehr Persönliches anspreche«, beginnt er, »aber ich möchte euch um Rat fragen. Es ist etwas Unerwartetes geschehen.«

»Nein, bitte keine Butter«, sagt Anneliese leise zu mir, »ich habe beschlossen, nur noch Tomatenmark aufs Brot zu kratzen; vielleicht gelingt es mir endlich, ein wenig abzunehmen.«

Hat sie überhaupt kapiert, was Ewald gerade angedeutet hat? Mir bleibt fast das Herz stehen. Aber es kommt anders als gedacht.

Etwas stockend beginnt Ewald zu berichten: »Es gibt einen Grund, warum Bernadette länger als geplant in der Klinik bleiben will. Ihr werdet es nicht glauben, aber meine Frau hat sich in einen Mitpatienten verliebt.«

Anneliese zuckt zusammen und greift ganz automatisch zur Butter. Genau wie ich jubelt sie aber nicht lauthals los, sondern setzt ein besorgtes Gesicht auf und schaut Ewald forschend an.

Schließlich frage ich, was das für ein Mann sei, den seine Frau sich auserkoren habe.

Er sei Organist und teile ihre Liebe zu Bach-Kantaten. »Aber er ist auch nur Haut und Knochen...«

Zum ersten Mal hören wir so etwas wie deutliche Kritik.

»Wie alt ist er denn?« fragt Anneliese.

Ewald zuckt mit den Schultern. Vielleicht etwas jünger als Bernadette und ebenfalls verheiratet.

»Woher weißt du von ihrer Affäre?« frage ich. »Hat sie es dir selbst gesagt?«

Die Oberärztin habe ihm einen Wink gegeben. Wir können immer noch nicht klar erkennen, wie sehr diese Geschichte seine Eitelkeit verletzt.

Beinahe will ich herausposaunen, daß er jetzt die beste Chance hat, seine Alte auf elegante Weise loszuwerden. Aber er soll bloß nicht auf die Idee kommen, daß ich ein persönliches Interesse an einer Trennung hätte, deswegen frage ich mit teilnahmsvoller Stimme: »Will sie sich etwa scheiden lassen?«

Ewald zuckt nervös mit den Schultern. Auf seiner Stirn bilden sich steile Falten, er zerknüllt seine Serviette und läßt sie in den halbvollen Suppenteller fallen, tritt unterm Tisch einmal mich und zweimal

Anneliese. Dann entlädt sich endlich sein Zorn: »Das ist doch nicht normal«, brüllt er, »wenn zwei Suchtkranke im Aufenthaltsraum Händchen halten! Ärzte, Pfleger und Schwestern spotten nur noch. Ich schäme mich in Grund und Boden!«

Bisher hatte ich angenommen, daß Ewalds Frau dem Alkohol verfallen sei, doch mein Verdacht wird nicht bestätigt. Bernadette ist medikamentenabhängig und konsumiert Tranquilizer im Übermaß. Sie macht im Augenblick nichts anderes als eine Entziehungskur.

»Geht es Bernadette denn gesundheitlich besser?« fragt Anneliese. »Liebe soll doch manchmal Wunder wirken.«

Ewald will davon nichts hören.

»Laß dich scheiden«, empfehle ich jetzt doch. »Ich habe die Erfahrung gemacht, daß man nach einer gewissen Zeit besser klarkommt als zuvor.«

»Das kann ich mir nicht leisten«, sagt Ewald, »meine kümmerliche Rente könnt ihr vergessen! Das Haus gehört Bernadette, sie hat das Geld. Soll ich meine alten Tage als Bettler beschließen? Eher würde ich diese falsche Betschwester eigenhändig erwürgen!«

Jetzt kommen wir der Sache schon näher. Anneliese und ich wechseln einen Blick und beglücken Ewald mit unserem freundlichsten Lächeln.

12

Annelieses Familie wohnte mit den Großeltern zusammen; das Häuschen war zwar winzig, aber es besaß mehrere Stockwerke. Wenn meine Freundin Geburtstag hatte, durften sich alle eingeladenen Kinder auf dem Dachboden, im Keller und in den beiden Wohnungen verstecken. Es war Annelieses Lieblingsspiel, wohl weil sie einen enormen Heimvorteil hatte. Meistens war sie es auch, die uns suchen wollte, während ich und die anderen Mädchen im ganzen Haus herumflitzten, um ein raffiniertes Schlupfloch auszumachen. Wenn ich zusammengekauert unter dem säuerlich riechenden Bett des Opas, zwischen Spinnweben und Gerümpel auf dem Speicher, im hölzernen Zuber in der Waschküche oder gar in der erdigen Kartoffelkiste auf Entdeckung wartete, wurde ich oft von Panik befallen. Zwar wollte ich nicht sofort aufgestöbert werden, denn dann galt mein Versteck als zu einfach, aber andererseits hatte ich noch größere Angst davor, überhaupt nicht gefunden zu werden und im Keller zu vermodern.

Völlig absurd war diese Furcht nicht, denn in unserer Schule war es zu einem gruseligen Vorfall gekommen: Ein elfjähriger Junge hatte sich während der Pause in den Keller geflüchtet, weil er Prügel eines rachsüchtigen Mitschülers fürchtete. Kurz darauf wurde dieser Raum vom ahnungslosen Hausmeister abgeschlossen. Da es Sommer war, brauchte er die Heizung nicht täglich zu warten, und der Junge wurde erst entdeckt, als er fast verdurstet war.

Vor wenigen Tagen kamen diese längst vergessenen Ängste wieder hoch. Schon lange wollte Ewald nicht nur im Park herumlaufen, sondern auch das Schwetzinger Schloß besichtigen. Endlich rafften wir uns auf und meldeten uns am Entree zu einer Führung an. Natürlich ist das Jagdschloß der Kurfürsten von der Pfalz kein zweites Versailles. Außerdem sind keine Prunksäle, sondern die eher schlichten Wohnräume von Carl Theodor und seiner Gemahlin Elisabeth Augusta für Besucher hergerichtet worden. Doch auch die haben es in sich.

Im 18. Jahrhundert wurden die Bittsteller, genauso wie die heutigen Touristen, durch zwei Vorräume bis zum Schlafzimmer oder gar dem Cabinet des Fürsten geschleust. Im ersten Vorzimmer, wo niedere Untertanen abgefertigt wurden, besteht der Fußboden aus groben Dielen, die Wände sind gestrichen, die Möbel sind einfach und zweckmäßig.

Wer es bis ins zweite Vorzimmer schaffte, bekam schon etwas mehr Noblesse zu sehen. Hier sind die Mauern mit Chintz bespannt. Aber ein Parkettboden und Seidentapeten finden sich erst im anschließenden Schlafzimmer.

Meine Favoriten waren die anmutigen Deckengemälde im Schreibkabinett der Fürstin, ihre Puder- und Ankleidekammer sowie das bezaubernde »Coffee-Zimmer«. Doch Ewald war von zierlichen Möbelstücken, faszinierenden Ausblicken und höfischer Etikette nicht so leicht zu beeindrucken; er interessierte sich vor allem für die klobigen Truhen in den Vorzimmern, die als Tisch oder Ablage dienten. Zur Verschönerung hatte man sie rundherum mit einem geblümten Kattunüberwurf verkleidet. Wenn man aber den schweren Deckel aufklappte, konnten die wachhabenden und sicherlich todmüden Lakaien flugs in die Bettkästen kriechen und waren am nächsten Morgen in Windeseile wieder auf ihrem Posten. Ewald, der ja früher Ingenieur gewesen war, fand Gefallen an derart praktischen Lösungen.

»In einer solchen Truhe bekäme ich Klaustrophobie«, sagte ich, »das ist ja der reinste Sarg!«

Ewald nickte beifällig und raunte mir zu: »Du bringst mich auf eine Idee! Wenn man hier eine Leiche ablegt, wird sie sicher nicht so bald gefunden.«

Da war ich allerdings anderer Meinung, denn der Verwesungsgeruch würde nicht lange auf sich warten lassen. Ich sagte es aber nicht laut, sondern hielt mir nur demonstrativ die Nase zu.

»Paß mal auf, wir werden jetzt ein wenig zurückbleiben, den Touristentrupp vorbeiziehen lassen und heimlich den Deckel öffnen«, flüsterte Ewald. »Ich werde das mal testen und eine kleine Zeitbombe deponieren!« Er kramte ein eingewickeltes Stück Limburger aus seiner Tasche und grinste wie ein Schuljunge, als ich entsetzt den Kopf schüttelte; der Käse stank bereits durch die Verpackung.

»Für solchen Schabernack sind wir doch zu alt«, sagte ich. Wenn zwei Rentner in einem ehrwürdigen Museum bei kindischen Streichen erwischt werden, ist das mehr als peinlich. Noch dazu, wo ich in unmittelbarer Nähe des Schlosses wohne.

Aber war es wirklich nur ein Scherz? Suchte Ewald vielleicht ernsthaft ein trockenes Plätzchen für die eigenhändig erwürgte Bernadette? Noch schien sie sich ja ihrer schlechten Gesundheit zu erfreuen, aber seit sie mit ihrem Kantatenfreund liiert war, besuchte Ewald seine Frau immer seltener. Doch er reiste auch nicht ab.

Gestern hatte ich einen seltsamen Traum, den ich aber niemandem erzählt habe: Wir fahren zu dritt in einem Kabriolett, Ewald sitzt wie Cary Grant am Steuer, Anneliese singt Sofia Lorens berühmtes Lied aus dem Hausboot »*Presto, presto, do your very besto...*« Ich bin sechs Jahre alt, hopse auf dem Rücksitz herum und plärre zum Refrain: *»Bing, bang, bong.«* Ewald und Anneliese sind meine gut-gelaunten Eltern. Mir gefällt mein Status als ver-wöhntes Töchterchen, ich fühle mich umsorgt und aufgehoben. Der Papa fährt uns, die Mama kocht.

Schließlich wurde ich wach und mir fiel ein, daß wir kürzlich zu später Stunde diesen alten Film wieder angeschaut hatten. Vielleicht wäre es klug, wenn ich auch im wirklichen Leben meine Rolle als Neutrum akzeptierte und nicht insgeheim Sofia Loren nacheifern wollte. Im Traum war ich glück-lich und kein Störfaktor für meine Eltern, was spricht dagegen, daß wir drei uns auf dieser Basis ar-rangieren?

Heute sind Annelieses Kleider wieder bunt zusam-mengewürfelt: Hosen aus rotgrünkariertem Köper, Pantoletten aus rosa Lackleder, ein blauer Russen-kittel und ihre silberbeschichteten Backofenfäust-linge. Es gehe jetzt den Brennesseln an den Kragen, sagt sie und sieht Ewald auffordernd an. Gehorsam holt er seine hirschledernen Autohandschuhe aus dem Wagen und steht vor seiner Auftraggeberin stramm. Immerhin tauscht sie ihre komischen Schuhe noch gegen Gummistiefel aus.

Auch ich begebe mich in den Garten und pflücke mir ein bescheidenes Sträußchen kriechender Kapuzinerkresse. Die Blüten in leuchtendem Orange, Gelb oder Blutrot und die erbsengrünen, schildförmigen Blätter sollen in einer gläsernen Kugelvase mein Schlafzimmer aufpeppen.

Zufällig sehe ich, daß Anneliese und ihr Gehilfe nicht bloß Unkraut jäten, sondern auch Pfefferminzstengel schneiden, bündeln und kopfüber im Geräteschuppen aufhängen. Neugierig betrachte ich mir die diesjährige Ernte. Hier baumeln nicht bloß Kräuter für diverse Gesundheitstees, sondern auch Gewürzpflanzen und allerlei Blumen, die wohl schon seit Wochen dort trocknen. Hübsch sehen die Samenstände der Jungfer im Grünen aus, gut geeignet zum Basteln sind wohl auch Rittersporn, Mohnkapseln und Vogelbeerzweige. Anneliese denkt schon jetzt an den Winter, um auch in den blumenlosen Monaten Gestecke und Sträuße zusammenstellen zu können. Offen gestanden mag ich mumifizierte Blumen so wenig wie Kränze aus Zapfen, Hagebutten und verhutzelten Früchten, aber über Geschmack soll man lieber nicht streiten.

Während ich ausnahmsweise einen Gemüseauflauf vorbereite, scheinen die beiden im Garten leise und intensiv zu fachsimpeln.

Noch während des Mittagessens klingelt Ewalds Handy. Er nimmt ab, verspricht, gleich zurückzurufen, und rührt keinen Bissen mehr an. Ob es ihm nicht schmeckt, weil ich heute gekocht habe?

»Ist was mit Bernadette?« fragt Anneliese.

»Es war mein Filius«, sagt Ewald und wartet angestrengt darauf, daß wir fertig sind. Schließlich verzieht er sich mit ernstem Gesicht in die hinterste Gartenecke, wo er unbelauscht telefonieren kann.

»Bist du immer noch davon überzeugt, daß Ewald glücklich verheiratet ist?« fragt Anneliese leise.

Natürlich nicht. Aber was heißt bei einer langjährigen Ehe schon glücklich.

»Was mag sein Sohn von ihm wollen?« überlegt Anneliese beunruhigt. »Bisher haben sich seine Kinder noch nie gemeldet. Man weiß überhaupt nicht, ob sie über die Frühlingsgefühle ihrer Mutter informiert sind.«

Erst nach einer halben Stunde wird unsere Neugier gestillt. Ewald berichtet, daß er morgen abreisen werde. Bernadette habe den Sohn gebeten, sie in der nächsten Woche abzuholen und heimzufahren. Sie fordere, daß sich Ewald in ihrem Haus nicht mehr

blicken lasse und seine Siebensachen zusammen-
packe, bevor sie aus der Klinik entlassen werde.

»Ich soll also das Terrain räumen«, sagt er zornig.
»Keine Ahnung, wie sie sich das vorstellt. Soll ich
mir etwa ein Wohnmobil kaufen und auf der Straße
kampieren?«

Er springt auf und läuft rastlos auf dem Garten-
weg auf und ab, Anneliese keucht ihm hinterher.
»Was sagt denn euer Sohn dazu?« fragt sie.

»Der Junior versteht die Welt nicht mehr«, sagt
Ewald. »Aber wahrscheinlich hat ihm meine Frau
eine Menge Lügen aufgetischt.«

»Du kannst doch vorläufig hier wohnen bleiben«,
schlägt Anneliese vor. »Allerdings solltest du so
schnell wie möglich nach Hause fahren und alles
zusammenraffen, was dir lieb und teuer ist. Von mir
aus kannst du auch meinen Dachboden als Zwi-
schenlager benützen, nur bitte keine Polstermö-
bel...«

Mir fällt auch ein guter Rat ein: »Steck dir einen
Keller- oder Garagenschlüssel ein, falls deine Frau
das Haustürschloß austauschen läßt. Dann hast du
auch später noch Zutritt, wenn du etwas Wichtiges
vergessen haben solltest.«

Ewald nickt ergeben. »Seid ihr heute nachmittag
zu Hause?« fragt er nach einer Weile. »So etwa um
vier?«

Eine überflüssige Frage, unser Kaffeestündchen ist uns heilig.

Fast auf die Minute um vier Uhr klingelt es, und ein Mann im blauen Overall steht vor der Tür.

»Hallöchen!« ruft er. »Wo soll das gute Stück denn hin?«

Schon ist Ewald zur Stelle und schickt uns in die Küche; wir sollen uns noch ein paar Minuten gedulden. Natürlich spähen wir zum Fenster hinaus und sehen, daß zwei Männer einen Riesenkarton ins Haus schleppen. Auf dem Lieferwagen steht »Elektro Müller«.

»Er wird doch nicht etwa...?« fragt Anneliese. Aus dem Wohnzimmer hören wir Geräusche, die zu unserer Vermutung passen.

Nach einer halben Stunde werden wir zur Bescherung hineingerufen. »Von mir persönlich«, erklärt Ewald stolz. Dann bekommen wir die Funktionen des Luxusfernsehers erklärt. Und damit verabschiedet Ewald sich.

Mit waidwundem Ausdruck trägt Anneliese die Sektflasche wieder in den Keller. »So habe ich mir den Abschied eigentlich nicht vorgestellt«, sagt sie und macht resigniert den neuen Fernseher an.

»Er kommt ja bald wieder«, tröste ich und stelle Überlegungen an, wo und wie Ewald den heutigen

Abend verbringt. Aber Anneliese zwingt mich mit einer abwehrenden Geste zum Schweigen, denn sie hat auf dem Bildschirm ein Tanzturnier entdeckt. Schon lange hegt sie auch eine Vorliebe für Eislauf, Reiten und Kunstturnen, die ich nicht teile. Ewald liebt wiederum das Dröhnen der Rennwagenmotoren, mit dem er selbst die konziliante Anneliese aus dem Wohnzimmer vertreibt.

Es tut gut, wieder einmal allein zu essen. Anneliese genießt ihren neuen Fernseher, ich habe mir zum Abendimbiß ein Tablett mit Brot, Butter und Käse in mein Zimmer getragen und mich für heute bei ihr abgemeldet.

Ganz gegen meinen Willen muß ich dauernd an Ewald denken. Bevor er uns verließ, hatte er sich noch umgezogen. Nicht etwa, daß er sich in einen Anzug geworfen hätte, nein – er hatte sich für ein lässiges Outfit entschieden: Jeans, rosa Hemd und dunkelblauer Pullover. Durch die Gartenarbeit hat er einen frischen Teint bekommen. Will er die kränkliche Bernadette doch noch zurückerobern? Nachdenklich schmiere ich mir Butter aufs Brot.

Butter – das ist das einzige, was Ewald nicht mag. Fast jeder Mensch hat ja die eine oder andere Abneigung gegen ein bestimmtes Essen. Häufig handelt es sich um Innereien, Fisch oder Wild. Anneliese kann ja auch keine blähenden Speisen vertragen. Aber es fiel mir auf, daß gerade sie, die doch ihren Ewald wie eine italienische Mama verhätschelt, ihre geliebte Butter zwar unsichtbar, doch großzügig in allen Saucen, Suppen, Gemüse- und Nudelgerichten unterbringt.

»Ewald merkt es doch gar nicht, Männer haben keinen so feinen Geschmack wie wir«, rechtfertigte sie sich. »Auch bei meinen Kindern habe ich immer gemogelt. Wenn ich es jedem hätte recht machen wollen, hätte ich gar nichts mehr auf den Tisch bringen können!«

Kochen ist schon eine absolute Vertrauenssache. Kann ich eigentlich Anneliese blind vertrauen?

13

Drei Tage sind wir schon ohne männliche Gesellschaft. Anneliese hat wohl aus lauter Enttäuschung ihre zwei jüngsten Enkelkinder für die Herbstferien eingeladen; ich dagegen habe lange mit Rudi telefoniert, um ihn eventuell für eine Stippvisite zu ködern.

»Das kriege ich in diesem Monat nicht mehr gebacken«, sagt er. »Die Schüssel hat einen Sprung.«

Ich bin stolz, daß ich sofort Bescheid weiß: nicht er, sondern sein altes Auto spinnt. Also müssen Anneliese und ich uns weiterhin ohne Herrenbesuche amüsieren.

»Was meinst du, wie es mit Ewald und Bernadette weitergehen wird?« frage ich sie. »Bis zur nächsten Bärlauchsaison dauert es noch lange…«

»Halt bloß den Mund«, sagt Anneliese, »man kann nicht zweimal nach dem gleichen Schema vorgehen! Außerdem habe ich dir doch schon gesagt, daß ich für andere Leute nicht Kopf und Kragen riskiere.«

»Nun gut, das sehe ich ein«, sage ich. »Ist im Grunde auch nicht deine Aufgabe, denn eigentlich heißt es ja: Selbst ist der Mann!«

»Völlig richtig«, sagt sie, »aber Männer sind diesbezüglich schwer von Begriff. Es kann einem direkt peinlich werden, wenn man einen intelligenten Menschen mit der Nase auf eine naheliegende Lösung stoßen muß. Ich hoffe, daß er's jetzt endlich kapiert hat!«

Am Nachmittag geht Anneliese zum Frisör. Sie hat den kühnen Plan, sich blonde Strähnen ins graue Haar färben zu lassen. Ob das gutgeht, wage ich zu bezweifeln. Ich bin allein, als das Telefon läutet, und bekomme Herzklopfen. Es wird höchste Zeit, daß Ewald sich meldet.

Es ist aber Bernadettes Stimme, die mir entgegenschrillt: »Ich möchte sofort meinen Mann sprechen, er nimmt sein Handy leider nicht ab«, sagt sie ohne einleitende Entschuldigung.

Mit geheucheltem Bedauern teile ich ihr mit, daß er nicht hier ist.

Eine Sekunde lang herrscht bedrohliche Ruhe, dann bricht ein Tornado los, den ich von der temperamentlosen Frau niemals erwartet hätte. »Also ist er bei ihr!« schreit sie. »Ich hätte es mir denken können! Und ich blöde Kuh habe ihm abgenommen, daß er bei zwei Großmüttern untergekrochen ist!«

Obwohl ich sofort wittere, daß ihr Verdacht stimmt, bin ich gekränkt.

»Ihr Mann hat bis vor kurzem in unserem Gäste-zimmer übernachtet«, sage ich kühl.

Nun bekomme ich eine schlimme Geschichte zu hören: Niemals hätte Bernadette den wahren Grund erraten, warum Ewald ausgerechnet eine Heidelber-ger Klinik für sie ausgesucht hatte, denn sie glaubte ihm seine Schilderungen von der Qualität und Ein-zigartigkeit der dortigen Therapie. Woher sollte sie auch wissen, daß er seit längerem ein Verhältnis mit der Oberärztin hatte.

»Wo er dieses Flittchen kennengelernt hat, weiß ich auch nicht«, sagt sie.

Vor einem Jahr fand Bernadette in Ewalds Schreib-tisch die Briefe einer Frau; er schwor aber hoch und heilig, daß es sich um eine harmlose Freundschaft handle. Leider konnte Bernadette nicht herauskrie-gen, wo Ewalds Geliebte wohnte und wie sie aussah, denn es stand weder ein Absender noch ein Datum auf den Briefen, von Fotos ganz zu schweigen. Aber unterschrieben waren sie allesamt mit Yola.

Als sie ihren Mann jetzt Hand in Hand mit der Oberärztin im Park der Klinik beobachtete, erfuhr sie von einer Krankenschwester, daß die Frau Dok-tor mit Vornamen Yola hieß und geschieden sei.

Ich unterbreche den Redefluß. »An Ihrer Stelle würde ich nicht gleich mit Steinen werfen. Sie haben doch gerade selbst eine neue Liebe gefunden!«

»Wie bitte? Etwa der Organist? Dieser Mann ist ein treusorgender Familienvater und außerdem unheilbar krank. Wie kann Ihnen Ewald nur einen solchen Bären aufbinden!« Sie schnappt nach Luft, und ich lege vor Aufregung den Hörer auf.

Wer hat wem denn nun Märchen erzählt? frage ich mich und reime mir eine halbwegs plausible Geschichte zusammen. Wahrscheinlich war der muntere Ewald noch nie ein Kostverächter. Und Bernadette, die ja leider ein sprichwörtliches Kind von Traurigkeit ist, hat jetzt zaghaft nachgezogen. Beide haben wohl einen Teil der Wahrheit gesagt. Was wird Anneliese davon halten? Oder soll ich ihr lieber verschweigen, was für ein Filou unser Ewald offenbar ist?

Am liebsten würde ich heulen. Ewald hat nicht nur Bernadette, sondern auch Anneliese und mich betrogen. Sicherlich ist Yola im Gegensatz zu uns noch im fortpflanzungsfähigen Alter, was ja für virile Instinkte ausschlaggebend zu sein scheint. Wir dagegen sind die nachsichtigen Großmütter, die man jederzeit ausnützen kann. Laut Bernadette urteilte Ewald über Anneliese und mich: *Jenseits von Gut und Böse.* Da hat er sich aber gründlich geirrt.

Der Frisör hat Anneliese sichtbar verjüngt. Noch bevor sie ihre grasgrüne Jacke ausgezogen hat, betrachtet sie sich kritisch im Garderobenspiegel und sucht an meinem Gesichtsausdruck abzulesen, was ich von den blonden Strähnchen halte.

»Nicht schlecht«, lobe ich freundlich, bin aber etwas verunsichert. Anneliese sah bisher viel mütterlicher oder besser gesagt großmütterlicher aus. Wenn sie weiterhin so konsequent abnimmt wie in den letzten drei Tagen, wird sie mir in einem halben Jahr Konkurrenz machen.

Als hätte sie meine Gedanken erraten, fragt sie mich: »Erinnerst du dich noch an unsere Hula-Hoop-Reifen? Damals hatten wir Taillen wie Scarlet O'Hara. Aber vielleicht kriege ich meinen Speck doch noch ein wenig unter Kontrolle!«

»Warum willst du dich so quälen?« frage ich, aber sie lacht nur.

Als ich ihr Kaffee einschenke, schiebt sie Zucker, Sahne und die Löffelbiskuits weit von sich. Offensichtlich hat sie sich auch eine Maniküre geleistet, denn sie schaut wohlgefällig auf ihre Hände mit den nußbraunen Altersflecken.

Es wird ihr weh tun, wenn ich von Yola erzähle. Ich informiere sie behutsam.

Anfangs verstellt sich meine Freundin und behauptet kühl, sie habe schon lange vermutet, daß sich Ewald abends mit einer Frau treffe, schließlich könne sie zwei und zwei zusammenzählen. Im übrigen sei es ihr völlig egal, mit welcher Ziege dieser Bock ins Heu springe. Dann fängt sie an zu weinen und will nicht wieder aufhören. Am Ende flennen wir beide, und es tut so gut, daß wir schließlich lachen müssen. Trotzdem können wir nicht aufrichtig darüber sprechen, daß wir beide dem gleichen Mann gefallen möchten und ihn auf keinen Fall einer Jüngeren gönnen.

»Bernadette versichert, daß es eine reine Seelenverwandtschaft sei, die sie mit dem Organisten verbinde, und das sollte man ihr schon glauben«, sage ich. »Selbst eine trübe Tasse wie dieser Kantor wird sich wohl kaum an einem Skelett vergreifen! Bernadette verlangt die Scheidung also nicht wegen eigener Hochzeitspläne, sondern weil Ewald sie so gemein betrogen hat.«

Anneliese stellt sich vor, wie Bernadette ihren Mann mit Yola erwischt hat, und empfindet Mitleid. »Es war bestimmt sehr demütigend«, meint sie, »weil wohl das gesamte Krankenhauspersonal Bescheid wußte. Jetzt bereue ich fast, daß ich…«

Was hat Anneliese bloß angezettelt? Sie sagt es mir immer noch nicht. Auf alle meine Fragen bekomme ich nur zu hören, daß Bernadette so oder so nicht mehr lange zu leben habe. Schließlich greift sie zu altbekannten Ablenkungsmanövern, die stets mit *weißt du noch* beginnen.

»Weißt du noch, wie wir eines Morgens im gleichen grauen Rock in die Schule kamen? Unsere Mütter hatten ihn unabhängig voneinander bei Neckermann bestellt!«

»Weißt du noch, wie wir zum ersten Mal von der Pille gehört haben? Es muß etwa 1963 gewesen sein...«

»Weißt du noch, daß wir gerade miteinander telefonierten, als Kennedy erschossen wurde?«

Ich nicke immer nur. Aber dann kommt mein Konter: »Weißt du noch, wie oft du mit Ewald geschlafen hast?«

Anneliese erschrickt und beteuert bei allem, was ihr heilig ist, daß sie niemals im Leben – weder früher noch kürzlich – mit Ewald intim geworden sei. Sie bekreuzigt sich. »Ehrenwort!«

»Soll ich auch noch die Bibel holen?« frage ich giftig, denn ich traue ihr nach so vielen Schwüren erst recht nicht über den Weg.

»Früher war ich zu verklemmt, und heutzutage wäre es mir viel zu peinlich, mich zu entblößen«, erklärt Anneliese. »Aber auch wenn es so wäre? Was geht es dich überhaupt an?«

»Anneliese«, sage ich, um wieder auf das aktuelle Thema zurückzukommen, »mit Bernadette ist es noch nicht getan, wir müssen jetzt auch Yola im Auge behalten!«

Meine Freundin grübelt und bedauert, daß Ewald momentan gar nicht zu erreichen ist. Offensichtlich hält er sich nicht oder nicht mehr in seinem Haus auf. Er nimmt weder das dortige Telefon noch sein Handy ab.

Ich blättere im Telefonbuch, rufe die Klinik an, verlange die Oberärztin und erfahre, daß Frau Dr. Schäfer im Urlaub sei. Da ich das Telefonbuch noch auf dem Schoß halte, suche ich als letzte aller Heidelberger Schäfer die Nummer von Dr. Y. Schäfer heraus. Dort meldet sich ein Anrufbeantworter.

»Die beiden machen gemeinsame Ferien«, nehme ich an.

Wir schweigen eine Weile, bis Anneliese zu meiner Verblüffung vorschlägt, vor dem Abendessen noch einen Spaziergang zu machen. Bisher hatte sie sich selten dazu aufraffen können, aber anscheinend will sie ein paar Kalorien verbrennen.

Ich bin natürlich einverstanden, und wir beeilen uns, unsere bequemen und ziemlich häßlichen Schuhe anzuziehen. Jahrelang habe ich über die beigen Rentnersneakers mit Klettverschluß gelästert, bis ich wegen meiner Hammerzehe ebenfalls in breite, weiche Treter schlüpfen mußte.

»Und hinterher lade ich dich richtig schick zum Essen ein«, sage ich, »damit du nicht immer kochen mußt.«

Das ist zwar nicht ganz im Sinne einer Diät, aber Anneliese ist begeistert. Die Menükarte eines guten Restaurants sei sehr inspirierend, ich soll sie daran erinnern, daß sie ein paar Notizen macht oder besser noch die Speisekarte mitgehen läßt.

Wie immer ist der Schloßpark mein Ziel, ich betrachte ihn schon fast als meinen Privatgarten. Langsam bummeln wir durch die Laubengänge, die wie geschaffen für vertrauliche Gespräche sind.

»Weißt du…« beginnt Anneliese, aber sie fährt nicht mit »noch« fort, sondern sagt: »Es war eigentlich kein guter Einfall von mir, Ewald bei uns einzuquartieren. Man macht sich doch eine Menge Arbeit für einen Gast, und wie wurde es uns gedankt? Läßt sich bei uns verköstigen, um dann den restlichen Abend mit einer jüngeren Frau zu verbringen. Sobald er sich wieder meldet, sage ich klipp und klar, daß er seine Sachen nicht auf unserem Dachboden abstellen darf. Wie denkst du darüber?«

Ich nicke nur und spreche meine Gedanken schließlich auch aus. Es ist zwar gelegentlich nett, einen charmanten Freund zu beherbergen, aber besser nicht als Dauerzustand. Und junge Männer sind eigentlich viel unterhaltsamer.

»Stimmt. Am lustigsten war es doch mit Rudi in Baden-Baden«, sagt Anneliese, »dort habe ich begriffen, daß wir noch viel nachholen müssen. Unsere eigene Jugend in den 50er Jahren war – im Vergleich zu der heutigen Generation – reichlich dumpf, unsere Ehen waren stickig, soll unser Alter auch noch muffig werden? Wir müssen uns etwas ausdenken, was Spaß macht und in Schwung hält, ohne uns dabei zu überfordern.«

»Völlig richtig«, pflichte ich ihr bei, »wir sollten uns einen jungen Hofnarren halten, so wie das hier im Schloß früher üblich war.«

»Man müßte vielleicht mal im Internet suchen«, sagt Anneliese.

»Oder beim Arbeitsamt anrufen«, fällt mir ein.

Im Restaurant setzt sich Anneliese begeistert an den gedeckten Tisch, und wir fangen hungrig damit an, winzige Weißbrotscheiben mit gewürztem Schmalz zu bestreichen. Anneliese hat ihre Brille vergessen, und ich lese ihr das festliche Menü vor:

Parfait von Entenbrust und Entenleber
im Pistazienmantel an Apfel-Sultaninensalat
Samtsuppe »Lady Curzon« mit Seezungen-
Lachsroulade
Gefüllter Kaninchenrücken mit Steinpilzen
auf Sherrysauce an glacierten Pastinaken
und Buchweizenpolenta

Tatar vom Tortenbrie mit Radieschen
    und Staudensellerie
Millefeuille vom weißen Kaffeemousse
    mit Sorbet

»Schon überredet!« sagt Anneliese. »Keinerlei Einwände, nur die Radieschen werde ich weglassen müssen.«

Ich frage nicht, wie sie es mit den Steinpilzen halten will.

Nach einem Riesling Kabinett bestellen wir eine Flasche Bordeaux.

Anneliese philosophiert: »Natürlich steht man aus Solidarität zunächst auf Seiten der Ehefrau, wenn man von einem Seitensprung ihres Mannes erfährt. Aber dann beichtet uns vielleicht eine gute Freundin, von deren Intelligenz und ethischer Gesinnung wir überzeugt sind, daß sie ein Verhältnis mit einem verheirateten Mann hat. Wenn man nun ihre Version zu hören bekommt, sieht die Sache schon ganz anders aus. – Wer weiß, wie alt diese Yola eigentlich ist und ob sie Ewald nicht aufrichtig liebt.«

Bei so viel Mitgefühl und Edelmut muß ich ihr einen kleinen Dämpfer verpassen. »Auch ohne aufrichtige Liebe hättest du dich sofort mit Ewald eingelassen«, behaupte ich, »nur war er leider nicht an Matronensex interessiert.«

Anneliese bestreitet das nicht direkt, aber schließlich spricht sie das heikle Thema doch noch an: »Zwischen Wollen und Können liegt immer eine tiefe Kluft. Wenn wir von Goethe und anderen Giganten einmal absehen, gibt es auch bei Männern eine Grenze. Bei Opas in Ewalds Alter klappt es oft nur, wenn sie Frischfleisch wittern und zusätzlich Viagra einwerfen!«

Als Frischfleisch kann man uns beide seit einem halben Jahrhundert nicht bezeichnen, selbst Annelieses Töchter gehören nicht mehr in diese Kategorie.

»Mit Fünfundvierzig brauchte ich die erste Lesebrille«, erzählt sie, »und habe es schicksalsergeben hingenommen. Als aber an Weihnachten meine Älteste ihr nagelneues Brillenetui öffnete, mußte ich weinen.«

Ich will sie ein wenig aufheitern. »Wenn du so abfällig vom Jungbrunnen alter Männer sprichst, solltest du ehrlicherweise zugeben, daß du auch lieber einen knackigen Jüngling im Bett hättest.«

Sie widerspricht. »Das hab ich vielleicht mal aus Spaß behauptet! Aber ein jugendlicher Adonis hätte doch bloß einen gewaltigen Ödipuskomplex oder würde am Ende gar Geld dafür verlangen! Nein, so einen will ich auf keinen Fall.«

Wir trinken die Flasche leer, man soll schließlich nichts verkommen lassen.

»Das Tanzen mit Ewald hat mir trotzdem viel Spaß gemacht«, tröstet Anneliese sich selbst. Arm in Arm und ein bißchen wackelig wandern wir schließlich nach Hause, denn es ist immerhin schon halb zehn.

14

Meine Essenseinladung trägt Früchte, Anneliese hat die geklaute Speisekarte gut studiert. Gestern gab es Kürbis-Ravioli an Carpaccio von geschmortem Ochsenschwanz, für morgen plant sie gebundene Gerste mit weißen Rüben und Garnelen. Da ich heute kochen muß, bin ich etwas ratlos, bis ich mich im Supermarkt für Gnocchi entscheide. Fix und fertig steht dort eine 500-Gramm-Packung im gekühlten Regal; nach sardischer Art serviere ich sie mit geschmorten Kirschtomaten, Artischockenböden und Ricotta. Eigentlich ein leichtes Essen, hübsch anzusehen und schnell zubereitet. Anneliese mischt noch ein paar Kapern und zerzupfte Basilikumblättchen darunter und ißt wie ein Scheunendrescher.

»Ich hab's schon wieder aufgegeben«, sagt sie und meint ihre Zurückhaltung beim Schlemmen, »irgendeinen Ersatz für andere Freuden muß der Mensch ja haben.«

Recht hat sie, denke ich und hole zum Dessert zwei Becher Krokant-Eis aus dem Tiefkühlfach. Es ist fraglich, ob ich in mein schönstes, grau-weiß gestreiftes Seidenkleid jemals wieder hineinpassen werde, aber meine hellbeige Kombination aus Fleece ist wesentlich bequemer und waschmaschinenfest.

»Du machst immer den gleichen Fehler«, sage ich und kratze den letzten Rest Eis aus der Pappe, »du hättest weder Ewald noch deine Enkel einladen sollen.«

Anneliese tut erstaunt. Die Kinder wohnen in einer Großstadt, einmal im Jahr sollen sie sich nach Herzenslust in Omas Garten austoben.

Ihr Einwand läßt mich völlig kalt. »Du bist und bleibst eine Masochistin und solltest lieber selbst verreisen, statt dich immer bloß um andere zu kümmern.«

Im Sommer müsse sie regelmäßig die Blumen gießen und den Rasen wässern, sagt Anneliese, außerdem fehle ihr das nötige Kleingeld. Um ihr meine längst fällige Einladung zu einer Reise schmackhaft zu machen, greife ich zu einem Trick und klage über Erschöpfung und ein starkes Bedürfnis nach Tapetenwechsel. Ohne anregende Gesellschaft könne ich aber meinen Urlaub nicht genießen und bitte daher um ihre Begleitung, zum Beispiel ins sonnige Portugal.

»In ein Flugzeug bringen mich keine zehn Pferde«, sagt sie.

»Aber was ist die Alternative? Die Bahn?« frage

157

ich etwas enttäuscht. Meine Freundin sitzt am liebsten im Fond eines bequemen Autos. Doch ich fahre keine weiten Strecken mehr und habe mich in fremden Städten schon immer schlecht zurechtgefunden.

»Rudi?« fragt Anneliese unsicher, auf der Suche nach einem Chauffeur. Unmöglich, Rudi braucht seine Freizeit für seine Fernbeziehung.

»Wir könnten einen jungen Mann anheuern«, sage ich. »Einen witzigen und abenteuerlustigen Optimisten, der ein paar Fremdsprachen beherrscht, unsere Koffer schleppt, eine Reise gut vorbereiten kann und immer anhält, wenn wir es verlangen!«

Anneliese nickt sehnsüchtig. Sie weiß, worauf ich anspiele. Als unser Christian etwa sieben war, brachte sein Vater auf einer Urlaubsreise den Wagen erst dann zum Stehen, als das Kind längst in die Hose gemacht hatte. Und Annelieses Mann suchte stets so lange nach einem »besonders netten« Gasthaus für die hungrige Familie, bis alle Restaurants geschlossen hatten.

»Es müßte ein lieber, armer Schlucker sein«, fährt Anneliese fort, »dankbar für unser Angebot und weder verzogen noch anspruchsvoll. Morgen rufe ich bei der Studentenvermittlung in Heidelberg an, bis Ende September sind Semesterferien!«

Mittlerweile neigt sich der August dem Ende zu. Bisher haben sich vier Bewerber für den Job als Chauffeur vorgestellt. Die junge Frau, die unseren Auftrag notierte, reagierte pikiert, weil wir ausschließlich männliche Kandidaten verlangten. Wir begründeten es damit, daß wir nicht mehr die Jüngsten seien. Es ginge nicht nur um den reinen Fahrdienst, sondern auch um das Verladen schwerer Gepäckstücke.

Der erste Student war wohl falsch instruiert worden, denn vor uns baute sich ein Muskelpaket auf, das vor Anabolika kaum mehr laufen konnte.

»Badewannenlift? Fahrbarer Klostuhl?« fragte er und musterte uns abschätzend.

Anneliese und ich wechselten bloß einen Blick, bevor ich mit sanfter Stimme behauptete: »Die Stelle wurde leider vor fünf Minuten an Ihren Vorgänger vergeben. Es tut uns leid, daß wir Sie nicht mehr rechtzeitig benachrichtigen konnten.«

Kaum war er draußen, meinte Anneliese: »Bravo, Lore! So schnell hätte ich nicht geschaltet. Auf einen Bodyguard mit Spatzenhirn können wir verzichten.«

Der nächste war zwar eine Spur besser, aber auch nicht gerade hinreißend. Eher hielt ich ihn für einen langweiligen Streber, wie er sich siegesbewußt im gebügelten Hemd und mit einem Laptop unterm Arm bei uns vorstellte. Ich war nicht überrascht, daß er Informatik studierte. Zuerst inspizierte er meinen Wagen und fragte nach der Spitzengeschwindigkeit, dann wollte er auf der Stelle die Route berechnen, wofür er ein perfektes Programm gespeichert habe. Gut erzogen verbarg er seine Enttäuschung darüber, daß wir uns bis jetzt noch gar nicht über das Ziel abgesprochen hatten. Immerhin notierten wir seine Telefonnummer und versprachen, ihm am nächsten Tag Bescheid zu geben.

»Auch nicht der Mann meiner Träume«, sagte Anneliese, »ziemlich konservativ und humorlos. Hoffentlich kommt mal einer mit ein bißchen Phantasie!«

Nummer drei gefiel uns tatsächlich. Der schlaksige junge Mann trug ein buntes Hemd mit peruanischen Vogelmotiven, einen ledernen Schlapphut und an fast allen Fingern einen Silberring. Er studierte Kunstgeschichte und schrieb gerade seine Magisterarbeit. Bereitwillig und ausgiebig referierte er über Holzreliefs in barocken Wallfahrtskirchen und hätte uns am liebsten sofort ins Frankenland geschafft. Als er aber unseren Terminplan hörte, machte er einen Rückzieher.

»Etwas ist mir immerhin geblieben«, sagte Anneliese, als wir wieder allein waren, »das schönste Kapuzinerkloster ist das Würzburger Käppele. Aber deswegen muß ich noch lange nicht hinpilgern.«

»Du hast wieder einmal mehr behalten als ich«, sagte ich anerkennend. »Aber wohin soll unsere Reise gehen? Für zwei Wochen ist es vielleicht doch zu weit bis Portugal.«

Anneliese zog es im Grunde gar nicht in ferne Länder. Einmal im Leben wollte sie den berühmten Blautopf sehen. Ewald, dessen Wohnort in der Nähe lag, hatte ihr so oft von Blaubeuren vorgeschwärmt, bis sie ein unstillbares Verlangen nach jenem überirdischen Blau verspürte. Nun, das war nicht besonders weit, das konnte ich auch ohne Fahrer schaffen.

»Und du?« fragte Anneliese.

Es war unendlich lange her, daß ich mit Udo ein paar heitere Sommertage auf Sylt verbracht hatte. Einmal im Leben wollte ich wieder hinfahren und sehen, ob es immer noch so schön dort war. Ich wußte, daß Anneliese nicht ganz so erpicht auf den Norden war wie ich. Jahrelang hatte sie mit ihrer Familie jeden Sommer auf einer dänischen Insel verbracht. Aber vielleicht konnten wir uns auf eine Tour quer durch Deutschland einigen.

Viel weiter waren unsere Pläne noch nicht gediehen, als es zum vierten Mal klingelte. Zu unserer Überraschung waren es zwei, die vor der Haustür standen – ein sehr junger Mann mit seiner noch jüngeren Freundin an der Hand.

Auf unserem Sofa bot das unzertrennliche Paar ein reizendes Bild. Gerührt betrachteten wir die beiden Jungvögel, die uns zugeflogen waren und wohl vorher ihre T-Shirts getauscht hatten. Auf seinem rosa Hemd, das er beinahe sprengte, war ein Gartenzwerg abgebildet, auf ihrem Sweatshirt, das wiederum viel zu weit war, prangte ein Affe und die Schrift MANILLA GORILLA.

»Ricarda und ich machen alles gemeinsam«, sagte der junge Mann, »aber Sie brauchen nur eine Person zu bezahlen!«

»Werden Sie beim Fahren aber auch die Hände am Steuer lassen?« fragte ich streng.

»Ist doch eine Binse!« sagte sie vorlaut.

Und er versicherte: »Hundertpro! Dienst ist Dienst, und Schnaps ist Schnaps – sagt mein Opa!«

Heute haben wir dem Langweiler telefonisch abgesagt und mit dem Pärchen einen festen Termin für eine etwa zweiwöchige Reise vereinbart. Wer von den beiden denn den Lohn einstecke, fragte ich neugierig und bekam die Antwort: »Das ist doch völlig *Sausage*!«

»Moritz ist ein hübscher Name!« sagt Anneliese. »Und zwei frisch Verliebte sind immer noch besser als ein einzelner Trauerkloß. Man kann ja trotzdem ein wenig mit dem jungen Mann flirten! Die hübschen Showmaster im Fernsehen schäkern auch am liebsten mit einer Oma, weil sie dann zu Hause keinen Ärger kriegen und hunderttausend andere Großmütter vorm Bildschirm sitzen und denken: Nein, was für ein charmanter Junge!«

Von Ewald hören und sehen wir nichts, was ich mir nicht ganz erklären kann; genaugenommen bin ich beunruhigt. Weil ich Anneliese nicht mit meinen diffusen Ängsten anstecken will, rufe ich hinter ihrem Rücken wieder bei der Oberärztin an. Ich will noch einmal ihre Stimme hören und habe mir die Ansage des Anrufbeantworters nicht richtig gemerkt. Diesmal meldet sich jedoch kein Automat, sondern eine Ausländerin, die mich nicht versteht.

Als ich es mit Englisch versuche, kommt nach einem halbunterdrückten Kichern die knappe Auskunft: »*Miss Yola honeymoon!*«

Draußen im Garten sehe ich Anneliese, wie sie die Samenstände der Studentenblumen einsammelt. Ausnahmsweise trägt sie einen Strohhut, damit die Sonne das neue Blond ihrer Haarsträhnen nicht ins Grünliche verfärbt.

Hat das Hausmädchen tatsächlich Flitterwochen gemeint, oder war es ein Mißverständnis?

Inzwischen haben Anneliese und ich schon konkrete Reisepläne ausgetüftelt, aber irgendwie ist mir gar nicht mehr nach Urlaub zumute. Unsere erste und kürzeste Etappe sollte in einem Tübinger Hotel enden, dann war ein Besuch des Blautopfs und schließlich, als südlichste Station, der Bodensee vorgesehen. Danach stand ein Abstecher nach Freiburg mit einer etwas längeren Unterbrechung im Elsaß auf dem Programm, bis wir schließlich mit beliebigen Pausen nach Hamburg fahren wollten. Das nördlichste Ziel unserer Reise war Sylt, wo wir uns vor der Heimfahrt ein paar Tage ausruhen wollten. Ob das alles nicht fast zuviel war und ohne große Strapazen bewältigt werden konnte, wußten wir nicht so genau.

Anneliese steht am Gartentor und schwatzt. Leider sehe ich ihr Gegenüber nicht. Aus dem gelben Zustellwagen schließe ich jedoch auf die Briefträgerin, öffne das Fenster und spitze die Ohren.

»Sie haben die gleichen Ausdrücke wie mein Papa«, sagt die junge Frau »der sagt auch immer voll coooool…«

Ich verkneife mir das Lachen. Meine Freundin hat sich anscheinend im Ton um zwanzig Jahre vergriffen. Mit rotem Gesicht und einer Karte in der Hand trampelt Anneliese ins Haus.

»Kapierst du das? Eine Postkarte aus Ligurien kann doch keine zwei Wochen unterwegs sein! Und nun rate mal, wer uns schreibt!«

Sie scheint sich maßlos aufzuregen, also muß es Ewald sein. Ich reiße ihr die Karte aus der Hand.

Meine Lieben! Bin in geheimer Mission in Castellaro, wo Freunde ein Ferienhaus besitzen. Anneliese hätte ihre helle Freude am hiesigen Bauernmarkt, und mit Lore würde ich gern stundenlang wandern. Ich melde mich, sobald ich wieder in Deutschland bin. Alles Liebe, Ewald

Liebe am Anfang, Liebe am Ende, denke ich verwirrt. Auch Anneliese murmelt »in allen vier Ecken soll Liebe stecken« und wird nicht schlau aus der *geheimen Mission*. Auf der Vorderseite der Karte ist ein uralter Olivenbaum abgebildet, und ich lese: *Bella Liguria.*

Nun erzähle ich schweren Herzens, was ich an Yolas Telefon erfahren habe.

»Ungeheuerlich!« ruft Anneliese empört. »Dieser Mistkerl soll sich nie wieder bei uns blicken lassen! Es wird höchste Zeit, daß wir abreisen, damit er vor verschlossenen Türen landet!«

Wir leiden beide, aber unser Zorn hilft ein wenig über die Enttäuschung hinweg.

»Überhaupt, wie kann man nur Yola heißen!« ereifert sich Anneliese. »Wohl eine Abkürzung von Jolanthe. Und so heißen Schweine!«

Ich nehme an, daß ihr Wissen aus irgendeiner Komödie oder Operette stammt.

»Wahrscheinlich sammelt er exzentrische Namen«, sage ich, »Bernadette mußte irgendwie übertrumpft werden!«

»Oder er arbeitet sich durchs Alphabet«, sagt meine aufgebrachte Freundin, »nach A wie Anneliese kam B wie Bernadette, und nach Yola fehlt bloß noch eine Zoe!«

Zudem ist Ewald ein Feigling, finden wir, denn warum hat er nicht einfach angerufen? Abgesehen davon, daß er ein Handy zur Verfügung hat, gibt es heutzutage fast in jedem Ferienhaus einen Telefonanschluß. Anneliese unterstellt ihrem Tanzstundenherrn sogar, daß er sich in Wirklichkeit gar nicht in Italien aufhält und diese Karte von einem Komplizen einwerfen ließ. »Als Alibi«, behauptet sie.

15

Bei Ausbruch des Zweiten Weltkriegs wurde mein Vater eingezogen. Voller Stolz hatte ich gerade Lesen und Schreiben gelernt, doch das Zeichnen eines Hakenkreuzes bereitete mir noch Schwierigkeiten. Ich erinnere mich genau, wie mir eine Tante den Rat gab, zuerst eine Vier zu malen und dann an drei Ästen einen Seitenzweig anzubringen. Meine Mutter war nicht gerade begeistert über meinen bejubelten Erfolg, aber sie seufzte nur. Als kleines Mädchen hatte ich ihre Abneigung gegen den Nationalsozialismus zwar stets gespürt, aber nicht verstanden. Aus Vorsicht schwieg sie sich darüber aus.

Wir Kriegskinder haben viel an unbeschwerter Geborgenheit entbehren müssen; unbeabsichtigt übertrugen sich die Ängste der Erwachsenen auf ihre Nachkommen.

Später wurde auch die Wahl unserer Ehemänner von den unausgesprochenen Wünschen unserer Mütter beeinflußt, Sicherheit stand an oberster Stelle. Obwohl wir unsere Liebe für tief und rein hielten, so waren wir doch brave Töchter, die es ihren Eltern recht machen wollten. Ein anständiger

Mann, der seine Familie versorgen konnte, war der Traum aller Mütter. An oberster Stelle stand ein Beamter auf Lebenszeit. Was Wunder, daß unsere Ehen nicht zu einer Quelle des Frohsinns gediehen. Den jungen Männern ging es nicht besser. In der spießbürgerlichen Nachkriegsepoche hatte das Streben nach einer gesicherten Karriere absolute Priorität. Hierzu gehörte auch eine gutfunktionierende Ehefrau, die mehrere Kinder bekam, den Haushalt perfekt versorgte und ihrem Mann den Rücken stärkte.

Trostlos war unser Leben deswegen nicht. Über die kleinen Freuden, die uns jene als fortschrittlich empfundene Nachkriegszeit bescherte, kann die heutige Generation nur lächeln. Ich weiß noch gut, wie Anneliese und ich in den 50er Jahren die erste Pizza aßen und diesen kulinarischen Höchstgenuß als unerhört schick und weltläufig empfanden. Vielleicht läßt es sich für unsere Enkel mit dem Besuch eines kantonesischen Schlangenrestaurants vergleichen.

Hoffentlich können wir im Verein mit unseren jugendlichen Begleitern noch etwas Aufregendes erleben. Morgen werden wir von den verliebten Fremdenführern abgeholt, und die Reise kann beginnen. Die Koffer sind gepackt; Anneliese bringt gerade einen warmen Apfelkuchen zur Nachbarin, um das Gießen ihrer Lieblingspflanzen im voraus zu belohnen. Ich will noch rasch ein bißchen bügeln, damit keine unerledigte Arbeit liegenbleibt.

Als ich den Telefonhörer abnehme, schreit eine unbekannte Frau in schrillem Diskant auf mich ein. Es ist Ewalds Tochter, die verzweifelt ihren Vater sucht.

Ich teile ihr mit, daß wir kürzlich eine Karte aus Italien erhalten haben, in der Ewald seine baldige Rückkehr ankündigt.

»Meine Mutter ist tot!« sagt die Fremde und schluchzt laut auf.

Vor Schreck bekomme ich eine Gänsehaut und kein Wort über die Lippen. Schließlich habe ich mich etwas gefaßt und frage, was denn passiert sei.

Wie verabredet, hatte Ewalds Sohn seine Mutter in der Klinik abgeholt und nach Hause gefahren. Von dort aus hatte Bernadette noch am selben Tag ihre Tochter angerufen und versichert, es gehe ihr nach der Kur viel besser. Eine Woche später versuchte die Tochter vergeblich, ihre Mutter zu erreichen, und machte sich schließlich Sorgen. Es war nicht Bernadettes Art, allzuoft das Haus zu verlassen.

Heute, an ihrem freien Tag, war die beunruhigte Tochter schon früh am Morgen die fünfzig Kilometer bis zu ihrem Elternhaus gefahren, um nach dem

Rechten zu sehen. Sie fand zwei Tote: Ihre Mutter und einen unbekannten Mann. Angekleidet und in mehrere Wolldecken gehüllt, lag Bernadette auf dem Sofa, der Fremde im Bett des Gästezimmers.

Sie habe nichts angerührt und sofort die Polizei gerufen, aber Spuren äußerlicher Gewalt waren auf den ersten Blick nicht zu entdecken, es fand sich auch kein Abschiedsbrief. Der Arzt stellte zwar fest, daß der Tod bereits vor einigen Tagen eingetreten sein mußte, konnte aber nichts über die Ursache sagen. Eine Obduktion sei unvermeidlich.

Falls Ewald bei uns auftauchen sollte, würde ich ihn natürlich sofort zu seinen Kindern schicken, verspreche ich. Und zum Schluß erlaube ich mir noch die Frage: »Kennen Sie eine gewisse Dr. Yola Schäfer?«

Ewalds Tochter verneint und verabschiedet sich rasch, denn sie will weiter nach dem verschwundenen Vater forschen. Von einem Ferienhaus in Ligurien ist ihr nichts bekannt. Vor Aufregung habe ich weder ihren Namen richtig verstanden, noch ihre Telefonnummer notiert.

Als ich Anneliese das Nachbarhaus verlassen sehe, laufe ich ihr völlig aufgelöst entgegen. Mein Gott, ich kann nur hoffen, daß sie keinen Doppelmord auf dem Gewissen hat!

Meine Freundin bleibt aus Prinzip bei Katastro-

phenalarm völlig ruhig und treibt mich zur Weiß-
glut damit.

»Komm erst einmal ins Haus«, sagt sie ungerührt,
»schließlich braucht nicht die ganze Straße mitzu-
hören.« Bevor sie sich in der Küche hinsetzt, holt sie
Mineralwasser aus dem Kühlschrank und trinkt
direkt aus der Flasche. »Jetzt mal schön der Reihe
nach«, sagt sie mit unendlichem Gleichmut, »wer
hat angerufen, und wer ist gestorben?«

»Anneliese«, fauche ich sie an, »Bernadette und
ein unbekannter Mann – wahrscheinlich der Organist – sind seit Tagen tot. Sag mir sofort, ob du etwas
damit zu tun hast!«

»Natürlich nicht«, sagt sie empört, »du weißt am
besten, daß wir die ganze Zeit zu Hause geblieben
sind. Baden-Baden war unser letzter und einziger
Ausflug! Außerdem hat uns Ewald mehrmals gesagt, daß sowohl Bernadette als auch ihr Freund mit
einem Fuß im Grab stehen!«

»Das mag ja alles wahr sein«, sage ich, »aber deswegen hat doch niemand das Recht, den Todestag
nach eigenem Gutdünken zu bestimmen! Und überhaupt – warum mußte der arme Orgelmensch dran
glauben? Ich fürchte, da habt ihr einen schlimmen
Fehler begangen.«

»Was heißt *ihr*«, empört sich Anneliese, »ich bin
so unschuldig wie ein neugeborenes Kind. Es sieht

dir ähnlich, daß du mir die Vorfreude auf unsere Reise vergällen willst!«

Ich reagiere entsetzt. Wer möchte sich unter diesen Umständen auf eine Vergnügungsreise begeben! Und wie sollten wir Ewald dann benachrichtigen?

»Ach geh«, sagt Anneliese, »was ist denn los mit dir! Ewald ist schließlich ein erwachsener Mann und wird sich so oder so bei seinen Kindern melden. Und wenn nicht, dann ist er selber schuld.«

Nach einigem Hin und Her hat sie mich davon überzeugt, daß wir den netten Studenten nicht einfach absagen und zudem keine Verantwortung für Ewalds italienische Eskapaden übernehmen können.

Pünktlich um zehn warten unsere Chauffeure an der Tür, ihr eigenes Gepäck besteht aus zwei ausgebeulten Sporttaschen. Sie scheinen sich auf diese Reise richtig zu freuen und sie nicht nur als notwendigen Nebenverdienst anzusehen. Nachdem sie unsere Koffer verstaut haben, steigen wir ein. Anfangs sitzt das Mädchen am Steuer, später will ihr Freund übernehmen. Beide haben sich schwarze Sonnenbrillen und dunkle Schirmmützen aufgesetzt, wohl um ihren neuen Status durch eine angedeutete Uniform zu unterstreichen.

Unterwegs erzählen sie von früheren Jobs, die sich fast alle im gastronomischen Bereich abspielten.

»Rikki hat vom ewigen Servieren einen strammen Bizeps bekommen«, sagt ihr Freund und schiebt der Fahrerin zum Beweis den kurzen Ärmel hoch. »Wenn man unentwegt ein Tablett mit Maßkrügen schleppt, kriegt man Muskeln wie ein Preisboxer!«

»Nimm die Griffel weg, Moritz«, sagt Ricarda etwas unwillig, gibt aber zu, daß die Arbeit in einem Biergarten nicht gerade ihr Traumberuf war.

Wir erfahren, daß alle beide Veterinärmedizin studieren, allerdings erst im zweiten Semester.

»Moritz ist ein bißchen älter als ich«, sagt sie, »er war Zivi, und er ist in der Schule sitzengeblieben.«

»Das war wohl die Rache für den Bizeps«, sagt Moritz, und beide lachen.

Dann erzählt Moritz, daß er im letzten Sommer bei der Security gearbeitet habe, als Assistent eines Kaufhausdetektivs.

»Mit Schußwaffe?« fragt Anneliese.

Nur mit einem Schlagstock, sagt er, mehr sei nicht erlaubt. Wenn man aber glaube, daß bloß pubertierende Schüler oder Kriminelle gelegentlich etwas mitgehen ließen, so sei man auf dem Holzweg. Priester, Professoren und Hausfrauen seien schon mit dicken Büchern in der Plastiktüte ertappt worden.

»Ich würde ja vor Scham im Erdboden versinken«, sagt Anneliese. »Wie kann man nur so blöd sein und sich erwischen lassen!«

Moritz klatscht Beifall, aber Ricarda zischt ihn an: »Das finde ich gar nicht witzig!«, und zu Anneliese sagt sie streng: »Wenn ich Ihnen jetzt 50 Euro aus dem Portemonnaie klaue, dann halten Sie mich für eine schäbige Diebin. Warum soll ein Studienrat, wenn er den dritten Band einer Kunstgeschichte gestohlen hat, als feinsinniger Ästhet gelten? Für mich gibt es da keinen Unterschied, ich habe mit Bücherdieben kein Mitleid!«

Insgeheim freue ich mich, daß die junge Frau meiner skrupellosen Freundin einen Rüffel erteilt.

In Tübingen habe ich gleich beim Schloß ein Doppelzimmer für Anneliese und mich reserviert. Die Studenten wollen bei Freunden übernachten, doch bevor sie sich dort einquartieren, speisen wir noch gemeinsam im Restaurant *Mauganeschtle* zu Mittag. An der Bank zum Eingang hängt ein Schild:

DOHOGGEDDIADIAEMMERDOHOGGED

Es dauert eine ganze Weile, bis wir das Schwabenrätsel geknackt haben und uns bei sauren Nierle, Schupfnudeln und Trollinger von den Strapazen der Reise erholen. Ricarda belehrt uns, daß Tübingen der geographische Mittelpunkt Baden-Württembergs sei und das exotische Schild des Restaurants bedeute, daß man hier immer wieder gern herkomme. Dann verlassen wir unsere Begleiter, gehen ins Hotel und legen uns für ein Stündchen aufs Ohr. Schließlich soll es eine Vergnügungsreise werden.

Ich muß fest geschlafen haben, als ich schon nach einer halben Stunde von Anneliese wieder hochgescheucht werde. Ich weiß, es zieht sie zum Hölderlin-Turm, in dem der kranke Dichter bis zu seinem Tod bei einer Schreinerfamilie gewohnt hat.

Wenn Anneliese nicht durch die Gartenarbeit erschöpft ist und ein Ziel vor Augen hat, dann ist sie ganz gut zu Fuß. Wir laufen mindestens zwei Stunden durch die Altstadt und am Neckarufer entlang, bis sie eine Pause braucht. Im Gartencafé treffen wir auf unsere Studenten, die dort mit ihren Freunden beim Espresso sitzen.

»Wir haben gerade beschlossen«, sagt Moritz, »daß wir Sie zur Abwechslung heute abend einladen, Rikki kennt ein uriges Lokal.«

»Dort ist es aber ziemlich laut«, sagt Ricarda, »wenn Sie das nicht stört?«

»Wird gesungen?« fragt Anneliese.

»Also *Gaudeamus igitur* und andere olle Kamellen gibt es dort nicht«, sagt Moritz, »dafür aber echte Gaisburger Marsch, Käsespätzle, Maultaschensuppe und andere regionale Schmankerln.«

»Wenn nicht herumgegrölt wird, bin ich gern dabei«, sage ich, »aber meine Freundin wird enttäuscht sein. Sie würde für ihr Leben gern eine Studentenverbindung in den Schatten stellen und selbst ein paar Lieder schmettern!«

Neugierig betrachten die beiden die blond gefärbte Anneliese. Die Lichtreflexe auf ihrem Haar wirken plötzlich ein wenig ordinär.

»Sie sind also eine Rampensau?« fragt die freche Ricarda, und Anneliese ärgert sich über diesen Ausdruck.

Als wir wieder im Hotel sind und uns für das abendliche Rendezvous feinmachen, fängt sie an zu schimpfen.

»Die Kleine gefällt mir nicht«, sagt sie, »die ist mir zu respektlos! Vom Alter her könnte ich schließlich ihre Großmutter sein! Wir hätten nur den Moritz mitnehmen sollen. – Soll ich das neue Pünktchenkleid tragen? Leider passen die Turnschuhe nicht dazu, aber auf diesem Pflaster kann man kaum etwas anderes anziehen, und ich will ja keine Blasen an den Füßen bekommen.«

Da es sicher kein teures Lokal ist, in dem wir speisen werden, ziehen wir schließlich beide nur eine frische Bluse an.

Es wird ein heiterer Abend. Ricarda und Moritz

amüsieren sich zwar über Dinge, die wir nicht richtig begreifen, aber wir lachen trotzdem.

»Und morgen geht's zum Blautopf«, sagt Anneliese fröhlich. »Da muß man gar nicht viel herumlaufen, sondern kann still am Ufer stehen und stundenlang in das geheimnisvolle Blau hineinschauen. Wenn wir Glück haben, taucht sogar die Wasserfrau auf.«

Auch die angehenden Tierärzte kennen die Sage vom Blautopf und der schönen Lau. Sie überlegen, welcher große Fisch sich in einer Karstquelle tummeln könnte, den man in früheren Zeiten für eine Nixe gehalten hat.

Ricarda spielt sogar auf ein Volkslied an und scherzt: »Vielleicht war es bloß die Wasserleiche von Fräulein Kunigund, die der große Wels in Regensburg abgeschleppt hatte. Sie tauchte später im Blautopf auf und versetzte die Menschen bald in Begeisterung, bald in Angst und Schrecken.«

Bei diesen Worten fährt Anneliese zusammen und möchte ins Hotel zurück.

16

Der Blautopf hat in der Tat eine unergründlich intensive Farbe, die sich nach innen verdichtet und an den Rändern smaragdgrün schimmert. Umringt wird der tiefe Quelltrichter von Laubbäumen und meditierenden Touristen, die gedankenverloren auf dieses uralte Naturwunder schauen und es für durchaus möglich halten, daß plötzlich eine langhaarige Wasserfrau auftaucht.

Es ist interessant, wie unterschiedlich die Betrachter reagieren: Da gibt es nüchterne Forscher wie Ricarda, beglückte Naturfreunde wie Moritz, euphorisch Begeisterte wie Anneliese und melancholische Romantiker wie mich. Wie soll ich mir den Zauber der blauen Farbe erklären? Vielleicht ist es die Sehnsucht nach Ferne, Traum und letzter Ruhe, nach Himmel und Meer, die wir alle in uns tragen.

Wie lange wir hier schon herumstehen, weiß ich nicht, aber es ist wie im Märchen – eine Sekunde wird zur Ewigkeit. Schließlich mahnt Anneliese zum Aufbruch.

»Ist es dir recht, wenn wir einen klitzekleinen Abstecher machen?« fragt sie.

Warum eigentlich nicht? Schließlich können wir uns nach Lust und Laune treiben lassen.

»Was hast du denn vor?« will ich trotzdem wissen.

Ganz in der Nähe, in einem Vorort von Ulm, muß sich Ewalds – oder besser gesagt Bernadettes – Haus befinden. Nur zu gern würde Anneliese einen neugierigen Blick auf das Anwesen werfen.

Und wenn man uns auf unserer Erkundungstour erwischt?

»Ach was, niemand kennt uns dort«, sagt Anneliese und sucht die genaue Adresse aus ihrem Notizbüchlein heraus. Rikki knöpft sich die Straßenkarte vor und kommandiert spaßeshalber wie ein elektronisches Navigationssystem.

Kurz bevor wir ankommen, fällt es mir wie Schuppen von den Augen. Anneliese hat den Blautopf nur aus einem einzigen Grund als Reiseziel angegeben: Sie will Ewalds Haus inspizieren.

»Möchten Sie Freunde besuchen?« fragt Ricarda.

Anneliese hat sich die Antwort bereits zurechtgelegt: »Ja, wenn sie nicht verreist sind, gehen wir rasch guten Tag sagen. Am besten parkt ihr gleich am Waldrand und macht einen kleinen Spaziergang. In einer halben Stunde treffen wir uns beim Auto wieder.«

Moritz und seine Freundin tauschen einen erfreuten Blick, und wir trennen uns. Anneliese und ich müssen ein paar Minuten laufen, bis wir die Hausnummer 61 erreicht haben. In dieser Straße leben keine armen Leute, auch Bernadettes Villa gehört nicht zum sozialen Wohnungsbau. Zwei imposante Trauerweiden bewachen den Eingang, im Vorgarten begießt ein kleines Mädchen mit einer gelben Plastikkanne das Unkraut.

»Das muß Ewalds Enkelin sein«, flüstert Anneliese. »Bestimmt ist der Sohn mit seiner Familie eingetroffen, und die Tochter ist wahrscheinlich auch noch hier!«

Tatsächlich haben die zwei Autos auf der Straße kein Ulmer Nummernschild.

»Und jetzt?« frage ich, denn von der vereinbarten halben Stunde sind erst fünf Minuten vergangen.

»Jetzt gehen wir rein!« sagt Anneliese und drückt bereits auf den Klingelknopf.

Eine Frau um die Vierzig öffnet uns und fragt unfreundlich: »Ja, bitte?« Sie hat verweinte Augen und sieht müde aus.

An der Stimme erkenne ich, daß es Ewalds Tochter sein muß. »Sie haben mich vorgestern angerufen«, sage ich, »aber leider habe ich vergessen, mir ihre Telefonnummer aufzuschreiben.«

Meine Ausrede ist nicht besonders elegant, denn

in solchen Fällen kann ja jeder die Auskunft befragen. Aber die traurige Frau scheint in Gedanken ganz woanders zu sein und führt uns hinein.

Ewalds Tochter ist alles andere als eine Schönheit. Drinnen macht sie uns mit ihrer Schwägerin und ihrem Bruder, der seinem Vater auffallend ähnlich sieht, bekannt.

Nun ist Anneliese an der Reihe und stellt sich als Ewalds Tanzstundendame vor. Erst kürzlich hätten sie die Verbindung zueinander wiederaufgenommen. Früher seien sie ein niedliches Teenager-Paar gewesen.

»Davon hat er uns nie erzählt«, sagt die Tochter ungläubig.

»Es ist ja auch lange her! Wir haben später auch Ihre Mutter kennengelernt und dachten, daß wir Ihnen vielleicht helfen könnten«, sagt Anneliese vage.

Der Sohn runzelt skeptisch die Brauen und berichtet, daß er den Vater inzwischen als vermißt gemeldet habe, denn es sei ja nicht ganz ausgeschlossen, daß er einem Unfall oder Verbrechen zum Opfer gefallen sei.

»Verbrechen?« frage ich erschrocken. »Und wie sieht es im Fall Ihrer Mutter aus? Verfolgt die Polizei eine Spur?«

Nein, nein, die beiden Todesfälle hier im Haus

seien zwar noch nicht geklärt, aber ein Verbrechen sei eher unwahrscheinlich. Man wisse jetzt allerdings, wer der unbekannte Mann sei, und Bernadette habe ihren Kindern auch erzählt, daß sie einen Kirchenmusiker kennengelernt habe, mit dem sie Bach-Kantaten höre – aber das sei auch alles. Auf das Ergebnis der Obduktion müsse noch eine Weile gewartet werden.

Ich überlege, ob sich der Organist bei Bernadette einquartieren oder nur einen kurzen Besuch abstatten wollte.

»Hatte der Gast einen Koffer dabei?« frage ich. »Trug er einen Schlafanzug oder war er vollständig angekleidet?«

Ewalds Schwiegertochter lächelt kaum merklich. Genau dies habe sie auch interessiert. Nein, der Organist habe kein Gepäck gehabt und sei seltsamerweise in Jeans und Pullover unter ein dickes Federbett gekrochen.

»Er hat offenbar Klavierauszüge und CDs mitgebracht«, sagt die Tochter, um auch etwas zur Ehrenrettung ihrer Mutter beizutragen, »nichts deutet darauf hin, daß die beiden in einer engeren Beziehung standen.«

Der Sohn zögert ein wenig, bevor er mit der Wahrheit herausrückt: »Wahrscheinlich wissen Sie ja sowieso, daß unsere Mutter auf Grund ihrer schweren Erkrankung medikamentenabhängig war. Sie hat den Organisten in einer Entziehungsklinik kennengelernt, es ist also davon auszugehen, daß auch er… Nun, vielleicht sind beide rückfällig geworden und haben ihre frühere Dosis nicht verkraftet.«

»Ihre Eltern haben bestimmt eine Putzfrau«, sagt Anneliese und betrachtet die Usambaraveilchen am Fenster, die zwar die Köpfe hängen lassen, aber nicht völlig vertrocknet wirken. »Wieso wurde Ihre Mutter nicht früher gefunden?«

Während Bernadettes Abwesenheit habe die Haushaltshilfe regelmäßig die Post hereingeholt, die Blumen gegossen und nach Bedarf saubergemacht, sie sei aber ausgerechnet kurz nach der Rückkehr ihrer Arbeitgeberin in die Türkei geflogen.

Alles hier sieht gepflegt und ordentlich aus. Ich überlege, welche Möbelstücke Ewald und welche Bernadette ausgesucht haben mochte. Die vielen Ziergegenstände aus Zinn oder Messing und die geblümte Polstergarnitur im Cottage-Stil sind wohl eher auf die Wahl der Hausfrau zurückzuführen, das schwarze Ledersofa und die Thonetstühle auf den Hausherrn. Teuer, aber zu plüschig, finde ich, eine Spur spießig, dabei auf Repräsentation bedacht. Für mein Leben gern wäre ich auch die Titel der Bücher durchgegangen und hätte alle Räume besichtigt.

Für Ewalds Tochter ist es sicher nicht leicht, ein Glückskind als Bruder zu haben. Die Natur war wieder einmal ungerecht, weil Ewalds Sohn so ansehnlich, tüchtig und liebenswürdig geraten ist und darüber hinaus eine hübsche Frau und eine niedliche kleine Tochter besitzt. Konfliktstoff ohne Ende.

Plötzlich fängt Anneliese an, in ihrer voluminösen Handtasche zu kramen, zieht auftrumpfend Ewalds Postkarte heraus und gibt sie dem Sohn. Er liest kopfschüttelnd, reicht die Karte seiner Schwester weiter und meint, mit der *geheimen Mission* seines Vaters könne er überhaupt nichts anfangen.

Na bitte schön, das war keine spontane Idee, denke ich, Anneliese ist auf den Besuch bei Ewalds Kindern vorbereitet. Warum sollte sie die Postkarte sonst eingesteckt haben.

»Ist es überhaupt Ewalds Schrift?« fragt die Schwiegertochter argwöhnisch, doch seine Kinder sind sich sicher.

»Wir wollen jetzt nicht länger stören«, sagt Anneliese und steht auf. »Darf ich noch rasch Ihre Toilette benutzen?«

Während sie eine Zeitlang verschwunden bleibt, erzählt Ewalds Sohn vom letzten Zerwürfnis seiner

Eltern. Seine Schwester stößt ihn kaum merklich mit dem Ellbogen an, was ihn nicht sonderlich beeindruckt.

»Unsere Mutter war bisweilen sehr eifersüchtig. Aus Loyalität hat sie uns allerdings nicht in alle Details der ehelichen Differenzen eingeweiht. Nur so viel ist uns bekannt, daß Mama unserem Vater Hausverbot erteilt hat, was ich nicht allzu ernst nehme. Ich glaube eher, daß Papa im ersten Impuls überreagierte und für eine Weile nach Italien floh, sich aber später wieder mit Mama aussöhnen wollte.«

Eine Weile schweigen wir, und ich schaue zum Fenster hinaus. Der Garten ist ebenso langweilig wie das Wohnzimmer, nur der ungemähte Rasen und ein paar blühende Brennesseln setzen einen Kontrapunkt.

»Ich mache mir solche Vorwürfe«, klagt die Tochter. »Anscheinend hat sich Mutter gemeinsam mit ihrem Bekannten die Bach-Kantate *Ich habe genug* angehört; die CD ist noch eingelegt, und der Text klingt nach einem endgültigen Abschied. Hätte ich mich doch mehr um sie gekümmert, es sieht ganz nach einem Selbstmord aus! Doch warum hat sie dann keinen Abschiedsbrief hinterlassen?«

»Haben die Polizisten nach einem Brief oder anderen Hinweisen gesucht?« frage ich.

»Routinemäßig haben sie die angebrochenen Lebensmittel aus dem Kühlschrank mitgenommen und auch den Arzneikasten komplett ausgeräumt«, sagt die Schwiegertochter kaltschnäuzig. »Wir konnten ja nicht verschweigen, daß ein chronischer Medikamentenmißbrauch vorlag. Bernadette hat kiloweise Tranquilizer geschluckt, Benzodiazepin-Präparate, vermute ich.«

Ewalds Tochter mustert ihre fachmännische Schwägerin mit kaum verhohlener Abneigung, aber in diesem Moment kommt Anneliese wieder herein. Auch ich erhebe mich von Ewalds schwarzem Bauhaussofa, auf dem wohl tagelang seine tote Frau gelegen hat. Wir tauschen noch die Telefonnummern aus und verabschieden uns.

Draußen spielt das kleine Mädchen immer noch die Gärtnerin: »Ich übe nur ein bißchen. Wenn Oma ein richtiges Grab hat, werde ich jeden Tag ihre Blumen gießen!« verspricht sie fröhlich.

Es ist wichtig, noch ein paar Minuten mit Anneliese unter vier Augen zu reden. Zwar machen wir fast synchron den Mund auf, aber sie ist schneller.

»Man hätte uns ja anstandshalber etwas zu trinken anbieten können«, beschwert sie sich. »An der Stelle der Schwiegertochter hätte ich doch wenigstens Kaffee gekocht!«

»Wie sieht das Gästeklo aus?« frage ich.

Beige Kacheln, sagt Anneliese, etwa auf jeder zehnten Fliese eine Mohnblüte. Die Küche dagegen ganz in Blau mit Kornblumendekor.

»Wieso – warst du etwa in der Küche?«

Sie nickt bloß und grinst wie ein ertapptes Schulkind. »Ich hatte doch Durst«, behauptet sie. »Aber wie gefällt dir der Junge? Ist er nicht entzückend?«

»Wenn du Ewalds Sohn meinst, der sieht wirklich gut aus«, gebe ich zu, »im Gegensatz zur Tochter!«

Anneliese zeigt kein Mitleid für die Benachteiligte, sondern begeistert sich für Ewalds jugendliches Abbild: »Wenn ich einen so schönen jungen Menschen sehe, dann möchte ich noch einmal zwanzig sein! Umarmt, geherzt, geküßt, geliebt werden! Wie gemein, daß dieses Bedürfnis ein Leben lang bestehenbleibt, aber in unserem Alter die Chancen gleich Null sind.«

»Das ist der Preis, den wir für ein statistisch längeres Leben bezahlen. Und die Strafe dafür, wenn man sich vorzeitig zur Witwe macht. – Schau mal, da hinten stehen Moritz und Ricarda und warten auf uns.«

Als wollten sie demonstrieren, wie golden die Jugendzeit sein kann, liegen sich unsere Studenten in den Armen. Ich kündige unser Kommen diskret an und sage laut: »Jetzt wäre eigentlich Zeit für ein Gartenlokal!«

Schon nach kurzer Fahrt hat Ricarda ein Café entdeckt, und wir studieren die Eiskarte.

»Hab ich etwa meine Brille liegenlassen?« sagt Anneliese und wühlt in ihrer Tasche herum. Zum nächsten Geburtstag werde ich ihr ein schickeres Modell schenken.

Auch Rikki wundert sich über das Monstrum und möchte wissen, ob Anneliese früher einmal Hebamme war.

Sie schüttelt nervös den Kopf und kramt weiter.

»Keine Panik«, sage ich, »schon hundertmal habe ich gedacht, ich hätte meinen Schlüsselbund verloren, und er war doch jedesmal in einem Seitenfach oder einfach nur dort, wo er hingehört. Nimm den ganzen Plunder heraus, die Brille liegt sicherlich ganz zuunterst!«

Das tut Anneliese zwar nicht, ich bemerke aber zwei mittelgroße Blechdosen in ihrer Tasche. Hat meine Freundin einen Keksvorrat dabei? Neugierig und ein bißchen spöttisch will ich sie gerade nach ihrer eisernen Ration befragen, als sie die Brille findet und sehr erleichtert aufsetzt.

»Das könnt ihr überhaupt nicht nachempfinden«, bellt sie die grinsenden Studenten an, »wie blöd man dasteht, wenn man zum Analphabeten wird und kein Wort mehr lesen kann!«

Wie gut, daß sie im fremden Gästeklo nicht ihr

Gebiß vergessen hat, denke ich, denn ich weiß, daß sie es gelegentlich herausnimmt und abspült. Gestern, bevor wir zu Bett gingen, nervte sie mich wieder mit einem uralten Kalauer: *Meine Zähne und ich schlafen getrennt.* Es war ein Fehler, daß ich für das nächste Hotel wieder ein Doppelzimmer gebucht habe.

»Fahren wir jetzt nach Freiburg?« fragt Ricarda und gähnt. »Das wäre von Tübingen aus zwar viel näher gewesen, aber macht nix. Geographie ist halt nicht jedermanns Sache. Autobahn oder Bundesstraße? Auf dem schnellsten Weg dauert es etwa drei Stunden.«

Wir entschließen uns für die gemütlichere Strecke. Den Bodensee haben wir aus unserem Programm gestrichen, weil es doch zuviel ist.

17

In Freiburg entscheiden wir uns gegen die regionale Küche, weil in unserer Hotellounge eine unerhört verlockende Speisekarte aushängt.

Ricarda und Moritz machen große Augen, als sie sowohl ein komfortables Doppelzimmer beziehen dürfen als auch zum Abendessen eingeladen werden. Bescheiden wählen sie nur das zweitteuerste Menü aus, und wir schließen uns an, weil es so verführerisch klingt:

Ingwer-Karottencremesuppe mit grünen
  Hummerravioli
Spanferkelkarree an gebratenen Steinpilzen
Vermicelles mit Meringuen, Schlagsahne und
  Zimt-Schokoladensauce

Als Anneliese nach der Brille sucht, stelle ich mit Erleichterung fest, daß sie den Inhalt ihrer Tasche inzwischen reduziert hat. Natürlich will sie auch diese Speisekarte wieder einsacken.

»Wir sind doch jetzt ein gut eingespieltes Team, warum machen wir nicht im Frühling die nächste

Reise?« fragt Ricarda und dreht Weißbrotkügelchen in den Handflächen. »Nicht, daß mir unsere jetzige Tour im geringsten mißfiele, aber es gibt vielleicht noch tollere Möglichkeiten!«

»Was schlagen Sie denn vor?« frage ich belustigt. Mir gefällt es, wenn kecke junge Leute das Blaue vom Himmel herunterholen wollen.

Anscheinend haben sie bereits einen Plan ausgeheckt, und Moritz darf ihn uns schmackhaft machen.

»Man könnte zum Beispiel nach Sevilla fliegen, dort einen Leihwagen nehmen und quer durch Andalusien gurken. In Almuñeca blühen Margeriten und Iris bereits im März!«

Der kluge Junge weiß, daß man ältere Damen mit Blumen verführen kann.

Aber Anneliese, die sich gerade ein winziges Laugenbrötchen dick mit Kräuterbutter bestreicht, schüttelt sofort den Kopf. Ich weiß natürlich, was jetzt folgt. »Keine zehn Pferde bringen mich in ein Flugzeug!«

Das kommt derart unmißverständlich, daß Ricarda laut auflacht. »Und Sie?« fragt sie mich, »haben Sie etwa auch Flugangst?«

Ausgerechnet ich, die einmal Pilotin werden wollte! Wie schön wäre es, wenn ich mit Ewald in den Süden fliegen könnte, geht es mir durch den Kopf, der würde es ebenso genießen wie ich.

Ob sie schon einmal unangenehme Turbulenzen erlebt habe, fragt Moritz teilnahmsvoll, aber Anneliese weicht aus.

»Kinder, wir wollen jetzt das Essen genießen. Vielleicht verrate ich euch später, warum mir Flugzeuge zuwider sind.«

Auch der badische Rotwein schmeckt köstlich, die ersten beiden Flaschen sind im Nu ausgetrunken, eine dritte wird für uns geöffnet. Anneliese löffelt ein zweites Maronenpüree, denn Ricarda kann nicht mehr papp sagen und muß beim Nachtisch passen. Ich beobachte die Tischmanieren der jungen Leute und frage mich, warum ihre Eltern ihnen nicht beigebracht haben, daß Servietten keine Dekoration sind.

Als wir alle angenehm satt und müde sind, fragt Moritz erneut nach Annelieses Flugangst.

»Das ist aber keine schöne Geschichte«, sagt sie, und ich spitze die Ohren.

Im letzten Kriegsjahr hatten Anneliese und ich an verschiedenen Orten gelebt, und daher hatte ich von ihrem traumatischen Erlebnis bis heute nichts erfahren. Weil die Versorgung auf dem Land etwas besser aussah, war Annelieses Mutter mit ihren Kindern zu einer Kusine in die Eifel gezogen. Doch vor Fliegeralarm blieb man selbst dort nicht völlig verschont. Die Städter waren keine willkommenen Gäste. Man triezte sie mit unbeliebten Hilfsarbeiten. Annelieses Mutter schuftete auf den Feldern, ihre beiden Töchter wurden täglich mit einem Leiterwägelchen in den Wald geschickt, um Holz zu sammeln.

»Wir wären lieber in die Schule gegangen, denn wir konnten den beladenen Karren kaum ziehen. Aber immerhin haben wir auch Himbeeren gefunden und sofort verputzt und haben gesungen«, sagt Anneliese. »Kinder stimmen ja in schlechten Zeiten nicht gleich in das Lamento der Erwachsenen ein. An den Lärm der Flugzeuge hatten wir uns beinahe gewöhnt.«

Doch mitten beim Sammeln stolperten sie fast über einen Mann, der am Rande einer Schonung unsanft vor ihnen landete; sein zerfetzter Fallschirm hatte sich wohl in den Ästen einer hohen Fichte verfangen. Ihre kleine Schwester schrie vor Angst laut auf und lief sofort nach Hause, während Anneliese neugierig stehenblieb und sich anhörte, was der Soldat in einer fremden Sprache zu ihr sagte. Wahrscheinlich hatte er ein Bein gebrochen, denn er scheiterte bei dem Versuch, auf die Füße zu kommen. Schon damals gehörte Anneliese nicht zu den zaghaften Naturen, sondern wollte wissen, was das für ein seltsamer Vogel war und ob man einem wehrlosen Feind nicht helfen mußte.

Anneliese stockt und wird blaß. Wir erwarten Schlimmes. Wurde sie vergewaltigt?

Doch sie erzählt weiter, daß plötzlich die alten Männer des Dorfes nahten, mit Schaufeln und Mistgabeln bewaffnet. Es sah so bedrohlich aus, daß sie sich schnell hinter einem Holzstoß versteckte. Von hier aus mußte Anneliese zusehen, wie sie den Verletzten erschlugen. Sie gab keinen Laut von sich. Sie hatte Todesangst, daß man mit einer Zeugin ebenfalls kurzen Prozeß machen würde.

Meine Freundin bricht in Tränen aus, und ich muß sie aufs Zimmer bringen. Sechzig Jahre lang hat sie nicht darüber sprechen können.

Mitten in der Nacht werde ich von einem Stöhnen geweckt, Anneliese scheint Alpträume zu haben.

Ich knipse das Lämpchen an und reibe mir die Augen. »Wach auf«, sage ich und streiche ihr sanft über die Schulter, »das ist alles schon sehr lange her. Du brauchst dich für diesen Mord nicht verantwortlich zu fühlen, du warst doch noch ein Kind!«

»Meine Galle! Ich glaube, ich muß sterben!« wimmert Anneliese.

Ziemlich ratlos überlege ich, was man bei einer so heftigen Schmerzattacke unternehmen muß. Da kann wohl nur ein Profi helfen.

Doch als ich zum Hörer greifen will, raunzt sie

mich an: »Halt, stop! Nicht gleich den Arzt alarmieren! Ich habe zum Glück Buscopan eingepackt, die Zäpfchen wirken fast so schnell wie eine Spritze. Schaust du mal in dem roten Lederkästchen nach?«

Ich muß ein bißchen wühlen, um in Annelieses Koffer fündig zu werden. Unter ihrem neuen Sommerkleid liegen die beiden Blechdosen. Auf dem einen Etikett steht *Kamille*, auf dem anderen *Pfefferminze*. Ich muß ein wenig lächeln, denn ich wäre nicht im Traum auf die Idee gekommen, Kräutertee aus eigenem Anbau auf die Reise mitzunehmen.

Um das bewußte Kästchen ist eine fliederfarbene Strickjacke gewickelt. Anneliese hat sich mit allen möglichen Medikamenten eingedeckt, wahrscheinlich fühlt sie sich als Kräuterhexe auch für mich und unsere Crew zuständig.

»Hier hast du dein Zäpfchen! Ich könnte dir außerdem einen Tee aufbrühen, zum Glück steht ein Schnellkocher im Schrank. Deine Kamille kommt wie gerufen!«

Anneliese richtet sich auf und wirkt plötzlich sehr angespannt. »Finger weg von diesem Tee!« schnauzt sie. »Leg dich wieder hin, mir geht es bestimmt bald besser.«

Tatsächlich ist nach zehn Minuten kein Stöhnen, sondern ein gleichmäßig fauchendes Atemgeräusch zu hören.

Ich aber bin völlig verunsichert. War es eine Gallenkolik oder nicht? Und wenn, ist das lebensgefährlich? Aber ich habe wenig Lust, mich mitten in der Nacht und in einer fremden Stadt um einen Notarzt zu bemühen. Nach dem guten Essen und Trinken bin ich todmüde, und Anneliese wird schon wissen, was ihr am besten hilft. Nach einer halben Stunde nicke ich ein und wache erst spät wieder auf.

Als ich ins Badezimmer schleiche, schlummert die Patientin noch tief und fest. Ob sie wieder gesund ist und man heute gemeinsam etwas unternehmen kann? Sie soll erst einmal ausschlafen.

Moritz und Ricarda sitzen bereits beim Frühstück und haben Lachs, Rührei und knusprigen Speck auf ihre Teller gehäuft. Ich trinke ein Glas Orangensaft und erzähle von Annelieses Mißgeschick.

Die angehenden Tierärzte sind der Ansicht, das sei kein Wunder. »Die Arme, sie hat sich gestern abend maßlos aufgeregt!« sagt Moritz.

»Und was die alles gefuttert hat!« meint Ricarda, die bis auf ihren Bizeps ein zierliches Persönchen ist. »Und das bei bekannter Cholelithiasis! Zweimal Kastanienpüree und die vielen Steinpilze, das haut doch einen Herkules vom Sockel.«

»Aber es war ja auch lecker«, schwärmt Moritz. »Ich würde für mein Leben gern mal zuschauen, wie in so einer Schlemmerküche gekocht wird und wie sie es schaffen, alles gleichzeitig auf den Tisch zu bringen.«

Sicher haben sie Geräte, von denen wir noch nicht einmal den Namen kennen. In der Küche gibt es jede Menge Tricks. Meine Mutter besaß zum Beispiel eine Kochkiste. Die jungen Leute haben keine Ahnung, was das für ein Ding sein soll.

Meistens hatte man dieses simple Hilfsmittel selbst hergestellt. Dazu brauchte man eine fest schließende Kiste, die mit Holzwolle, Zeitungspapier und Lappen gut ausgepolstert wurde; unter den Deckel nagelte man ein Kissen. Dann kam die Präzisionsarbeit, denn der Emailkochtopf mußte haargenau in den ausgesparten Raum eingepaßt werden.

»Also nach dem Prinzip einer Thermoskanne«, sagt Moritz, »isolieren und warmhalten leuchtet mir zwar ein, aber kochen?«

Doch, langsames Garen war ja Sinn der Sache. Wenn man zum Beispiel Reis mit Rindfleisch oder Erbsensuppe am Abend auf dem Herd kurz aufkochen ließ, konnte man das Gericht über Nacht in die Kiste stellen und hatte am nächsten Tag einen fertigen Eintopf, ohne dabei Energie zu verbrauchen.

»Für umweltbewußte Hausfrauen wäre das heute noch eine preiswerte Lösung«, sage ich, »aber eine Mikrowelle tut ebenfalls ganz gute Dienste.«

»Ich will auch eine Kochkiste haben«, sagt Rikki, »baust du mir eine, Moritz?«

»Klar, aber statt der Lumpen nehme ich Schaumstoff und Styropor«, verspricht der gehorsame Freund.

»Na, sup! Haben Sie noch mehr solche Tricks auf Lager?« fragt Ricarda tief beeindruckt.

Schon oft hat Anneliese ein Suppenhuhn mit Gewürzen und reichlich Wasser aufgesetzt, nach einmaligem Aufkochen den Herd ausgeschaltet, dem bleichen Tier einen silbernen Löffel in den Leib gerammt und den Deckel verschlossen. Zwölf Stunden später konnte sie das weiche Fleisch von den Knochen lösen und Hühnersuppe oder ein vorzügliches Frikassee daraus bereiten.

Anneliese kennt sowieso mehr Küchengeheimnisse als ich, aber wie geht es ihr überhaupt? Ich lasse die jungen Leute ihr Frühstück genießen und suche meine kranke Freundin auf.

Leise, um nicht zu stören, öffne ich die Tür. Mein erster Blick fällt auf ihr leeres Bett und das weitgeöffnete Fenster. Die Tür zum Bad steht auf, und ich sehe, wie Anneliese fleißig die Klospülung betätigt. Hat sie sich gerade übergeben?

Mitleidig trete ich ein und erschrecke sie leider maßlos, denn durch das rauschende Wasser hat sie mich nicht kommen hören. Anneliese trägt keinen

Bademantel über ihrem geblümten Nachthemd, die Füße sind bloß; in der Hand hält sie eine Blechdose mit der Aufschrift *Kamille*. Durch den Luftzug wirbeln getrocknete Blätter auf, die sicherlich nicht aus ihrem Magen stammen.

»Aber, Schatz«, sage ich, »was machst du denn da! Ich kann dir doch auch einen Tee kochen!«

Sie aber schüttet die restlichen Kamillenkrümel eilig in die Toilette und spült.

Mir kommt dieses Treiben völlig unsinnig vor, die Gallenkolik hat sich wohl negativ auf ihre grauen Zellen ausgewirkt. Behutsam nehme ich meine kranke Freundin am Arm und führe sie wieder ins Bett.

»Du mußt die leeren Dosen wegschaffen!« sagt sie hektisch. »Ich kann heute das Hotel leider nicht verlassen. Am besten siehst du dich nach einem öffentlichen Müllcontainer um.«

Allmählich dämmert es mir. Die Blechdosen stammen gar nicht aus unserem Haushalt, sie gehören in Bernadettes Küche. Nun will ich es aber genau wissen, setze mich auf Annelieses Bettrand und lasse nicht mehr locker. Nach und nach kommt die Wahrheit ans Licht.

»Stell dir doch mal vor, was passiert wäre, wenn Ewalds Kinder von diesem Tee getrunken hätten! Mir blieb nicht viel Zeit, ich konnte kein Risiko eingehen!«

»Du hast mir aber in die Hand versprochen, daß du an Bernadettes Tod nicht schuld bist!« sage ich erregt.

Ein bißchen Nachhilfe erteilt hatte sie sehr wohl: Anneliese hatte ihren Tanzstundenherrn über toxisch wirkende Pflanzen belehrt, hatte Ewald auf den hochgiftigen Eisenhut in unserem Garten aufmerksam gemacht und an einem kleinen Beispiel demonstriert, daß die getrockneten und zerbröselten Blätter in einer Dose Kräutertee kaum auffallen.

»Bernadette trank doch am liebsten Pfefferminz oder Kamille«, sagt Anneliese, »was liegt da näher…! Ewald hat sehr aufmerksam zugehört und später alles mögliche aus unserem Garten für den Eigenbedarf geerntet und in Plastiktütchen verstaut und nicht direkt gesagt, ob er einen bestimmten Plan verfolgt. Es ist selten und äußerst wohltuend, wenn man sich ohne Worte mit einem Mann so gut versteht!«

Einen Moment lang bin ich sprachlos. »Du wolltest doch grundsätzlich nicht für andere die Kastanien aus dem Feuer holen!« sage ich zornig. »Wieso rettest du diesen treulosen Kandidaten vor einer Katastrophe und klaust für ihn das Corpus delicti aus der Küche seiner Frau?«

»Weil er es nicht verdient hat, daß seine Kinder dran

glauben müssen«, murmelt Anneliese. »Mensch, mir ist immer noch ziemlich elend!«

»Du bist wirklich ein außergewöhnlich edler Mensch, die reinste Samariterin«, sage ich und decke sie, die wieder ins Bett kriecht, gut zu. »Darf ich dir zum Lohn ein Kännchen Kamillentee aus der Hotelküche servieren lassen?«

Bevor ich mit den jungen Leuten zu einer Stadtbesichtigung aufbreche, betrachte ich nachdenklich die Blechdosen. Warum soll ich sie überhaupt wegwerfen? Ich erkläre meiner Freundin, daß sie Ewald anhand der Dosen irgendwann beweisen kann, wie mutig sie seinen Kindern das Leben gerettet hat. Anneliese leuchtet das ein.

»Ach, Lore, zu zweit sind wir unschlagbar. Und nun mach dir einen schönen Tag und laß mich noch ein bißchen fasten und pennen. Aber vielleicht könntest du mir zum Mittagessen einen trockenen Zwieback besorgen!«

18

Unser Bummel durch die historische Altstadt mit
den vielen munteren *Bächle* ist eine reine Freude.
Meine Begleiter ziehen ihre Sandalen aus und stak-
sen eine Weile wie Störche durch das klare Wasser.
Weil meine Beine langsam müde werden und es Zeit
für eine Mittagspause wird, verabschiede ich mich
schließlich und gebe ihnen für den Nachmittag frei.

»Man müßte sich Fahrräder leihen«, sagt Ricarda
und blickt neidisch auf andere Studenten, die hurtig
an uns vorbeiflitzen. Mein Auto kriegen sie jedenfalls nicht, es steht in der Hotelgarage, und ich ver-
wahre die Wagenschlüssel in meiner Handtasche.

Ich besorge noch eine Packung Zwieback und begebe mich ins Hotel, um nach Anneliese zu schauen.

Sie liegt zwar im Bett, hat aber den Vormittag anscheinend nicht mit Schlafen verbracht.

»Ich war auch nicht untätig«, sagt sie stolz und
läßt beim Knabbern die bräunlichen Krümel in ihren Ausschnitt und das Hotelbett rieseln, »gerade
habe ich bei Ewald zu Hause angerufen. Denk mal,
er hatte sich kurz vor meinem Anruf bei seinen Kin-

dern gemeldet und ist jetzt im Anmarsch. Schade, daß ich ihn nicht selbst erwischt habe!«

»Und? Wo war er die ganze Zeit? Hast du mit John Waynes prächtigem Sohn oder mit der Tochter gesprochen?«

Anneliese greift zum Zerstäuber und sprüht sich mit Parfüm ein, auch der Zwieback wird versehentlich eingenebelt. Die Aussicht, demnächst mit Ewald wieder Kontakt aufnehmen zu können, scheint sie trotz gegenteiliger Versicherungen zu beflügeln. Es duftet jetzt im ganzen Raum nach Maiglöckchen, und das weckt Frühlingsgefühle.

»Am Apparat war die verstörte Tochter. Ich wollte die Arme ja nicht so plump aushorchen und habe nur gefragt, wo sich ihr Vater herumgetrieben hat. In Italien, meinte sie, aber das wissen wir selbst.«

Immerhin ließ Anneliese Grüße an Ewald ausrichten. Wir seien zur Zeit auf Reisen und zu Hause in Schwetzingen nicht zu erreichen.

»Wenn ich ihn persönlich und ohne Zeugen sprechen könnte«, sagt Anneliese, »dann würde ich ihm gewaltig den Marsch blasen!«

»Aber was willst du ihm eigentlich vorwerfen? Er hat dir weder die Ehe versprochen noch lebenslängliche Treue. Wir haben ihn auch nie gefragt, wohin er abends gegangen ist. Ehrlicherweise kann man ihm nicht nachsagen, daß er uns belogen hat.«

Anneliese behauptet, daß er sich eingeschleimt, uns ausgenutzt und diffuse Hoffnungen geweckt habe. Und daß sie ihm nie bei der Lösung seiner Eheprobleme geholfen hätte, wenn sie von Yola gewußt hätte.

Bald liege ich neben ihr, und wir geben uns beide einem wohligen Mittagsschläfchen hin. Anneliese will am Nachmittag probeweise das Bett verlassen und am Abend ein Süppchen essen.

»Vielleicht Tomatencreme, das tut meinem leeren Magen bestimmt gut!«

Wie meistens bei meiner Siesta werde ich nach zwanzig Minuten wieder wach. Neben mir liegt die schlafende Anneliese, und ich kann ihr entspanntes Gesicht aus nächster Nähe betrachten. Warum finden wir eigentlich ein altes ländliches Haus so schön, frage ich mich, seine ausgetretenen Steinstufen, verwitterten Schlagläden, das verrostete Schloß und den verwilderten Garten? Wohl weil dieses Haus ein Geheimnis bewahrt, Geschichten erzählt und die Ästhetik des schleichenden Verfalls unsere Seele berührt.

Auch Annelieses Züge erzählen Geschichten und stimmen mich traurig und leicht sentimental. Was war sie einmal für ein hübsches Kind! Unter allen Falten und Runzeln schlummert immer noch das vertraute Mädchengesicht.

Auf ihren Wangen erkenne ich die Grübchen eines fröhlichen Kindes. Und wenn sie lacht, verschwinden die scharfen Züge um die Mundwinkel und unter den Nasenflügeln. Sogar aus den Krähenfüßen werden Lachfältchen. Alles, was sie erlebte, hat sich in ihre Züge eingeprägt: Weinen, Lachen, Trauer, Freude, Schwangerschaften, Geburten, Abschiednehmen, erfüllte und zerschlagene Hoffnungen. Müßte ein Mann mit Herz und Verstand ein solches Frauengesicht nicht ebenso lieben wie eines, das glatt ist wie ein Kinderpopo? Oder hat Anneliese recht, daß Männer ausschließlich auf Reproduktion programmiert sind und gar nicht anders können? Und doch hat Anneliese ihren Ewald noch längst nicht abgeschrieben, sonst würde sie ihm seinen Honeymoon in Ligurien nicht so verübeln. Auch wurde sie gleich wieder munter, als sie von seiner Rückkehr erfuhr.

Noch während ich die Züge meiner Freundin aufmerksam betrachte, wird sie wach und schaut mir direkt in die Augen.

»Das ist nicht fair«, sagt sie und grinst. »Schlafende darf man nicht beobachten, sie sind wehrlos.«

»Vor mir hast du doch nichts zu verbergen«, sage ich. »Willst du jetzt probeweise mal aufstehen? Für einen Museumsbesuch bist du wohl noch zu wackelig. Aber wir müssen allmählich entscheiden, ob wir dieses Zimmer eine weitere Nacht behalten oder morgen wie geplant weiterreisen.«

Nach einer Viertelstunde ist Anneliese gewaschen, gekämmt und violett angezogen und will mich ein Stückchen an die frische Luft begleiten. Und bei der Gelegenheit ein Handy kaufen.

»Warum denn das? Wir sind bis jetzt bestens ohne diese Landplage ausgekommen!« sage ich, aber ahne sofort, daß Anneliese für Ewald erreichbar sein möchte.

Sie hat auch gleich eine Ausrede parat. »Stell dir vor, ich werde ohnmächtig und brauche dringend einen Arzt, oder wir haben eine Autopanne! In den Hotels gibt es zwar immer einen Anschluß, aber wir sind ja meistens unterwegs!«

Unsere mittellosen Studenten haben selbstverständlich beide ein Handy. Dunkel erinnere ich mich, daß sogar mein zehnjähriger Enkel so ein Ding besitzt. Manchmal komme ich mir vor wie eine Greisin, und deshalb sage ich plötzlich: »Ich kaufe mir auch eins.«

Schon nach wenigen Schritten kommen wir an einem Schaufenster mit Süßigkeiten vorbei. Anneliese bleibt stehen, und ich versuche vergeblich, sie weiterzuzerren.

»Sei doch vernünftig«, flehe ich, »Zwieback und Tomatensuppe lasse ich ja noch gelten, aber Marzipanschweine sind erst an Silvester wieder fällig!«

Sie protestiert. »Ich will doch gar nichts kaufen. Aber schau mal, hier gibt es Hershey's!«

Tatsächlich: Da liegt diese Schokolade in der klassischen dunkelbraunen Verpackung, die in uns beiden Erinnerungen weckt.

Der erste Amerikaner, mit dem Anneliese nach Kriegsende anbändelte, stand am Straßenrand und füllte Benzin in seinen Jeep. Sie lächelte ihn an und sagte mutig: »*How do you do?*«, während ich mich genierte und ein bißchen fürchtete. Doch der Soldat amüsierte sich offensichtlich, zog sie zum Spaß an ihren blonden Zöpfen und nannte sie *sweet little Fraulein*, griff aber dann in seine Brusttasche und schenkte uns je eine kleine lauwarme Tafel Hershey's. Diese Gabe war so unerhört, so vielversprechend, so paradiesisch, daß wir es kaum fassen konnten und fortan eine hohe Meinung von allen Amerikanern hatten. Später kamen Kaugummis und Glenn Miller als weitere Favoriten und als Beweis für Amerikas grenzenlose Möglichkeiten hinzu. Im übrigen war Anneliese äußerst lernfähig und erwies sich bald als Meisterin im Betteln. Gemeinsam haben wir noch so manchen GI um seine süßen Vorräte erleichtert.

Als könne sie meine Gedanken lesen, summt Anneliese *In the mood* und denkt dabei wahrscheinlich an Ewald, die Tanzstunde und seine quietschenden Kreppsohlen.

Als wir schließlich bei einem sogenannten Electronic-Shop ankommen, studieren wir etwas ratlos die Riesenauswahl an Handys. Eines erinnert mit seiner schönen Farbe an den Blautopf, und ich beschließe es zu kaufen.

»Bist du verrückt?« fragt Anneliese. »Es kostet 459 Euro! Sie haben anscheinend auch Gratis-Handys ohne Grund- und Anschlußgebühr!«

»Da ist sicher ein Haken dabei«, sage ich, »wenn überhaupt, dann das blaue! Ich war schon immer für Qualität.«

»Okay«, sagt Anneliese, »tu, was du nicht lassen kannst, aber diese Beutelschneider verdienen sich dumm und dusselig an dir. Zur Strafe werde ich meines einfach mitgehen lassen, es heißt ja schließlich Gratis-Handy.«

Wir verlassen den Laden mit dem teuren Blautopf und einem zweiten, unbemerkt eingesackten Telefon für Anneliese. Ihre Riesentasche hat wieder einmal gute Dienste geleistet, und meine Theorie von der Unsichtbarkeit alter Frauen hat sich abermals bestätigt.

Trotzdem muß ich Anneliese ein bißchen ärgern.

»Der liebe Gott sieht alles«, sage ich, bevor wir uns trennen.

Sie bekreuzigt sich und geht mit ihrer Beute ins Hotel zurück. Ich schlendere noch zum Augustinerplatz und setze mich in die Sonne. Um mich herum wird viel Französisch gesprochen, auf den Treppenstufen lagern überall Studenten, und ich genieße das Leben, als wäre ich selbst noch einmal jung.

Abends sitzen wir wieder alle vier im Restaurant und studieren die Speisekarte.

»Anneliese darf heute nur eine kleine Tomatensuppe essen, da sollten auch wir uns zurückhalten und sie nicht in Versuchung führen«, sage ich streng. »Heute essen wir alle etwas Einfaches! Ich werde mir rote Tagliatelle mit Mozarella bestellen.«

Die Studenten sehen mich enttäuscht an, nicken gehorsam und versenken sich erneut in die verlockenden Angebote.

»Na gut«, sage ich plötzlich und überwinde einen Anflug von Geiz, »wenn ihr uns beibringt, wie man ein Handy bedient, könnt ihr euch nach Lust und Laune etwas aussuchen.«

Und so kommt es, daß Anneliese ihr Süppchen schlürft, ich meine Nudeln esse und die Jeunesse dorée sich für ein komplettes Menü entscheidet:

*Lauch-Kartoffelcremesuppe mit Fischnockerln
und Trüffelöl
Gratiniertes Milchkalb mit Kürbispüree
und zweierlei Sellerie
Traubensüppchen mit Sabayoneis*

Da es Anneliese anscheinend ganz gutgeht, beschließen wir, am nächsten Tag weiterzufahren.
Aber zu guter Letzt meldet sie doch noch Bedenken
an.

»Ins Elsaß wollte ich ja eigentlich nur, um dort zu
schlemmen. Wenn ich das in den nächsten Tagen sowieso nicht darf, können wir auch gleich nach Nord-
deutschland fahren und uns von Bratkartoffeln mit
Hering ernähren.«

Ich horche auf. Will meine Freundin unseren Urlaub verkürzen? Der unsichtbare Ewald ist auf dieser Reise immer dabei, er schläft zwischen Anneliese
und mir in der Besucherritze und stört uns alle beide.

In dieser Nacht erscheint er mir sogar in einem
merkwürdigen Traum: Wie auf dem Gemälde von
Caspar David Friedrich stehen drei Figuren am
Abgrund einer bizarren Kreidelandschaft, die aber
die irreale Farbe des Blautopfs angenommen hat.
Ewald deutet in die Tiefe und sagt mit seiner un-
nachahmlichen Altherren-Galanterie: Die holde
Weiblichkeit hat stets den Vortritt!

Eine ganze Weile lang liege ich wach und grüble, was dieser Traum bedeuten könnte. Eigentlich hat ja Ewald allen Grund, Anneliese und mir nach dem Leben zu trachten, denn wir wissen über Bernadettes Tod Bescheid und könnten ihn erpressen. Oder sind solche Befürchtungen aus der Luft gegriffen? Aus dem Bett nebenan kommt just in diesem Augenblick ein tiefes Stöhnen.

Am nächsten Morgen sind die Schatten der Nacht zwar vergessen, aber es regnet in Strömen.

»Hat einer von euch den Wetterbericht gehört?« fragt Anneliese, denn auch das gehört zu den Pflichten unserer Reisebegleiter. Beide Handys liegen auf dem Frühstückstisch bereit.

»Das Tief aus Skandinavien hat uns heute erreicht; hier im Süden wird es die nächsten Tage leider so bleiben«, referiert Ricarda bekümmert. »Im Norden soll es dafür sonnig, aber auch windig werden.«

»Dann ist doch alles klar«, sagt Anneliese. »Auf nach Sylt!«

Doch zuvor will sie sich noch das Mobiltelefon erklären lassen und wird enttäuscht. Moritz stellt fest, daß die Pin-Karte fehlt und das Handy gar nicht angemeldet ist. Gemeinsam mit seiner Freundin begibt er sich noch rasch zu einer Telekom-Filiale, um die Sache in Ordnung zu bringen.

Eine Stunde später sitzen wir im Auto, die Scheibenwischer rotieren mit einem häßlich schabenden Geräusch.

Anneliese läßt sich durch das schlechte Wetter nicht die Petersilie verhageln. Sie fängt an zu singen, und wir fallen ein. Zu meiner Verwunderung kennt Ricarda alle Strophen von *Hoch auf dem gelben Wagen*. Draußen pladdert der Regen, doch drinnen im Auto ist es gemütlich. Nach einigen Gesangseinlagen ziehen wir unsere neuen Handys heraus und üben; obwohl wir direkt nebeneinander hocken, schicken wir uns eine sms nach der anderen.

Dann probiere ich es mit einem Anruf bei Rudi. »Ich höre dich kaum, wo bist du denn?« fragt er.

»So etwa am Frankfurter Kreuz«, antworte ich, »wir sitzen im Auto und sind auf dem Weg nach Sylt.«

»Dann wird es höchste Zeit für eine Kaffeepause in Wiesbaden«, sagt er, »bei so einem Wetter jagt man keinen Hund vor die Tür, geschweige denn zwei alte Ladies!«

19

Ein bißchen wehmütig bin ich schon, als ich in Wiesbaden meinen ehemaligen Laden, *Die Goldgrube*, betrete. Mein erster Gedanke gilt meinem aufrichtig geliebten Percy, dem ich soviel verdanke. Ohne ihn hätte ich kaum noch relativ spät und erfolgreich einen Beruf ausgeübt, ohne ihn könnte ich es mir nicht leisten, für unsere kleine Reisegruppe die Mäzenin zu spielen.

Rudi ist etwas überrascht, als außer Anneliese und mir noch zwei junge Leute aus dem Auto steigen. »Deine Enkel?« fragt er meine Freundin, die gekränkt den Kopf schüttelt. Die Tochter von Annelieses ältestem Sohn ist gerade fünfzehn geworden.

Die Studenten und Rudi beäugen sich gegenseitig mit leichtem Argwohn. Für mich ist ein Enddreißiger noch jung, für Moritz und Ricarda mag Rudi schon ein alter Knacker sein.

Voller Freude sehe ich, daß die teure Espressomaschine noch gute Dienste leistet. In der silbernen Vase prangen rosa Bourbonrosen, ganz wie von mir arrangiert. Ich bin stolz, daß Rudi meine Bräuche für gut befindet und fortsetzt. Aber es gibt auch eine Neuerung: Hinter der Kasse kommt nach einigen Minuten ein junger Jagdhund hervorgekrochen, der uns vorsichtig beschnuppert und ziemlich rasch mit Moritz Freundschaft schließt.

»Walter Rebhuhn, von dem ich diesen Laden geerbt habe, hatte auch einen Hund, aber einen Dakkel«, erzähle ich und werde wieder rührselig, »was ist das für eine Rasse, und wie heißt er?«

»Das ist ein ungarischer Vizsla, und er heißt Ewald«, sagt Rudi und versteht nicht ganz, warum Anneliese und ich in lautes Lachen ausbrechen.

»Ist ja auch ein lustiger Name«, sagt Ricarda entschuldigend, weil sie sich wohl für unsere Heiterkeit etwas schämt.

»Ihr habt Glück, daß ihr ihn überhaupt zu Gesicht kriegt. Alle meine Freunde reißen sich darum, mit Ewald spazierenzugehen. Nur weil es im Moment so schauerlich pladdert, geruht er ein Nickerchen bei mir zu machen. So, und jetzt zeige ich dir mal ein richtig nettes Teil«, sagt Rudi und schließt seinen Tresor auf; ich befürchte schon, er hat wieder einen höchst problematischen Schatz erworben.

Aber ich irre mich, Rudis Ankauf läßt sich diesmal bestimmt an den Mann bringen. Das zierliche Collier stammt aus England. In die einzelnen Korallenkameen sind Frauenporträts nach antikem Vorbild geschnitten, die Zwischenglieder bestehen aus kleinen Türkisen in Blütenform.

»Allerliebst«, sage ich, »wahrscheinlich frühes 19. Jahrhundert. Sehr aufwendig verarbeitet. Was hast du dafür bezahlt?«

»Erstaunlich wenig«, meint Rudi und schaut nachdenklich zu Anneliese hinüber, die den Halsschmuck angelegt hat und sich wohlgefällig in einem Handspiegel betrachtet, »der Mann, der mir das Kollier angeboten hat, kam mir etwas suspekt vor. In solchen Fällen…« er unterbricht sich wieder und wirft einen erneuten Blick auf Anneliese.

»Ach, komm mal mit«, sagt er zu mir, » ich wollte dir eigentlich schon längst etwas zeigen!«

Ich folge ihm in das winzige Büro, wo Rudis Computer steht.

»In solchen Fällen«, fährt er mit seiner Erklärung fort, »informiere ich mich vorsichtshalber, ob der Schmuck nicht gestohlen wurde. Und dabei bin ich auf etwas Interessantes gestoßen!«

Rudi tippt am Computer herum und zeigt mir die Seite des Bundeskriminalamts mit den Sachfahndungen. Schließlich lese ich mit Herzklopfen: *Die Polizei ersucht um Hinweise zu folgenden Gegenständen.*

Abgebildet ist das fürstliche Collier mit den wunderschönen Smaragden, das Rudi den Russen verkauft hat. Unter dem Foto steht: *Passend zu diesem Schmuckstück werden ein Ring, ein Armband, eine Brosche und Ohrgehänge vermißt.*

Rudi mustert mich forschend.

»Was sagst du dazu? Es scheint sich doch sicher um die Parure zu handeln, die wir an die Russen verschachert haben. Da nur ein Foto vom Kollier vorliegt, muß ihnen der Rest schon bald nach unserem Deal geklaut worden sein. Meinst du, am Ende könnte Anneliese...?«

»Auf keinen Fall«, sage ich und werde rot, »das müßte ich schließlich wissen.« Energisch stehe ich auf und verlasse das Büro.

Moritz und Ricarda liegen mittlerweile auf dem Boden und untersuchen den kürzlich operierten Nabelbruch des ungarischen Vizsla. Ricarda fragt forsch, ob sie mal eben die Fäden ziehen darf. Als eine Kundin den Laden betritt, fahren wir alle in die Höhe, Ewald kläfft, und die Idylle ist vorläufig beendet.

Es regnet immer noch Bindfäden, als wir weiterfahren.

»Bis nach Kampen schaffen wir es heute bestimmt nicht«, sagt Moritz nach einigen ermüdenden Stunden, »in der nächsten Stadt sollten wir uns ein Hotel suchen.«

»Fahrt mal runter von der Autobahn«, befiehlt Anneliese. »Wir werden nach einem gemütlichen Dorfgasthaus Ausschau halten, es muß ja nicht immer der teuerste Palast sein!«

Die Studenten wechseln einen Blick. Ich weiß sehr wohl, daß sie am Abend nicht gleichzeitig mit uns zu Bett gehen, sondern gern noch mal eine Runde durch die nächtlichen Straßen und wohl auch Kneipen drehen.

»Und was sollen wir in einem solchen Kaff?« fragt Ricarda.

»Ihr wollt doch Tierärzte werden«, sagt Anneliese, »vielleicht könnt ihr einen Blick in die Ställe erhaschen…«

Moritz zieht einen Flunsch. Wir erfahren, daß sich die beiden eine gemeinsame Kleintierpraxis in Berlin-Dahlem als Berufsziel gesetzt haben und auf keinen Fall morgens um fünf mit dem Landrover losrumpeln wollen, um glitschige Kälber auf die Welt zu holen. Zur Not käme aber auch eine Orang-Utan-Aufzuchtstation auf Borneo in Frage.

Am Abend sitzen wir, wie von Anneliese verordnet, tatsächlich in einem behaglichen Landgasthof. Die Speisekarte besteht aus Variationen vom Schwein. Moritz bestellt ein ordinäres Jägerschnitzel, das mit grauen Dosenchampignons in dicker brauner Soße schwimmt, Anneliese ein Schnitzel Holstein mit Ölsardinen und Spiegelei, Ricarda eines mit Curry-ketchup und ich ein überbackenes Schnitzel nach Schweizer Art. Die Wirtin stellt noch zwei Schüsseln mit Fritten und grünem Salat auf den Tisch und wünscht guten Appetit. Das Kontrastprogramm ist gelungen und gar nicht übel.

Da es hier so billig ist, will ich für Anneliese und mich je ein Einzelzimmer ordern, aber es gibt nur zwei freie Doppelzimmer. Die Rekonvaleszentin hat diesmal zwar kein Dessert verspeist, aber mir ist trotzdem nicht ganz wohl bei ihrer Riesenportion. Gleich nach dem Essen scheint sie müde zu werden und begibt sich nach oben. Ich trinke mit den Studenten noch einen Absacker.

Als ich eine halbe Stunde später vor unserer Zimmertür stehe, höre ich Anneliese sprechen. Natürlich bleibe ich erst einmal stehen und spitze die Ohren. Mit wem redet sie wohl?

»Hast du einen Bleistift? Schreib dir für alle Fälle meine Handynummer auf…« Offenkundig hat sie uns nur verlassen, um heimlich mit Ewald zu telefonieren.

Als ich Schritte im Flur höre, schlüpfe ich schnell hinein. Es wäre entwürdigend, wenn mich unsere braven Fahrer als Lauscher an der Wand entlarven würden. Anneliese schaut hoch und verabschiedet sich schnell.

»Hast du ihn erreicht?« frage ich.

Zum Glück flüchtet sie sich nicht in Lügengeschichten, sondern nickt. »Er saß aber leider im Wohnzimmer, umgeben von Sohn, Tochter und Schwiegertochter. Da kann man nur in aller Eile zum Ableben der Gattin gratulieren. Hoffentlich ruft er mich in einem ungestörten Moment zurück.«

Kaum bin ich im Bad und creme mich ein, als schon getragene Musik ertönt. Anneliese hat als Klingelton die Nationalhymne der ehemaligen DDR gewählt: *Auferstanden aus Ruinen*. Sie erklärte mir ihre extravagante Wahl nicht etwa mit einem nostalgischen Hang zum früheren Arbeiter- und Bauernstaat, sondern als hoffnungsvolles Sinnbild für ihre eigene Situation.

Abrupt beende ich meine abendliche Toilette und betrete das Schlafzimmer. Kein Wort soll mir entgehen, wenn Anneliese dem treulosen Freund die Leviten liest. Davon ist aber nicht die Rede.

»Keine Sorge, die Polizei hat nur die Arzneimittel mitgenommen, die beiden Teedosen habe ich persönlich entfernt«, beteuert sie und nickt immer wieder bestätigend, als könne Ewald sie sehen.

»Ich denke, morgen nachmittag«, sagt sie schließlich, »unser Hotel in Kampen liegt angeblich ganz nah am Strand. Hast du die Adresse notiert? Alles klar? Bis dann!«

»Was ist denn nun mit Ewald?« frage ich.

Anneliese wischt sich energisch die Tränen ab. »Er fliegt übermorgen nach Sylt«, knurrt sie, »aber von Dankbarkeit oder Wiedersehensfreude hat er kein Sterbenswörtchen gesagt. Er hat sich nur für die Teedosen interessiert!«

»Du hast ihm ja ganz schön die Hölle heiß gemacht mit deinen Blechdosen«, sage ich ironisch.

Sie sieht mich groß an und fängt an zu weinen. Plötzlich brechen Leid und Kummer aus ihr heraus, die sich lange angestaut haben: »Alle denken, ich hätte ein heiteres Naturell und es leicht im Leben. Schon als junges Mädchen wurde mir an allen zehn Fingern ein Verehrer angedichtet, aber Pustekuchen! Wer ahnt denn überhaupt, wie es da drinnen aussieht...«

Selbstmitleid ist eine gefährliche Sache, wir haben es uns beide kaum je gestattet. Was ist los mit Anneliese, daß sie sich derart gehenläßt?

»Einmal im Leben will ich ohne Angst vor Schwangerschaft wie in jungen Jahren, ohne Verantwortung und Verpflichtung wie in einer Ehe, nur so zum puren Vergnügen einen Mann lieben! Warum klappt das denn nicht, bin ich zu fett oder was?«

Am liebsten würde ich sagen »zu alt«, aber das

stimmt nicht ganz. Es gibt Paare, die finden sich noch mit Achtzig.

Heimlich freue ich mich trotz allem auf Ewalds Besuch und überlege bereits im Halbschlaf, was ich übermorgen anziehen werde.

Am nächsten Tag erreichen wir nach stundenlanger Fahrt glücklich die Insel. Obwohl Anneliese den Norden angeblich nicht mag, freut sie sich über die prickelnde Luft, den weiten Himmel, die klaren Farben und vor allem den Sonnenschein, der uns nach zwei verregneten Tagen begrüßt. Zum Mittagessen kommen wir zu spät, zum Abendessen zu früh. Die freundliche Chefin schickt uns einen Kellner mit gebutterten Vollkornschnitten und frischen Krabben in den Garten, und es schmeckt wunderbar unter freiem Himmel. Danach wandern wir ans Meer, denn ich bin gespannt, ob alles noch so aussieht wie vor vielen Jahren. Moritz und Ricarda streben Hand in Hand in die entgegengesetzte Richtung, sie wollen am Wattenmeer Vögel beobachten. Anneliese grinst etwas anzüglich. Erst als wir allein sind, komme ich endlich dazu, ihr von Rudis Entdeckung auf der Fahndungsseite der Kripo zu berichten. Es scheint sie wenig zu beeindrucken.

»Nackt-bade-strand«, buchstabiert sie kurz darauf erschrocken und sieht mich fragend an, »aber wo stecken sie denn, die Nackedeis?«

Die meisten gertenschlanken Frauen tragen einteilige Badeanzüge, ihre Freunde Bermudas, stellen wir fest.

»Vielleicht ist es zu kühl«, meine ich, denn ich friere sogar in langen Hosen und meiner roten Wolljacke. Einen so stürmischen Wind habe ich seit vielen Jahren nicht mehr erlebt.

Plötzlich stößt mich Anneliese an. »Unerhört!« flüstert sie, und auch mir fallen die Augen fast aus dem Kopf.

Ein Paar kommt uns entgegen, das uns im Alter in nichts nachsteht. Der Mann, in weißen Hosen und einem blauen Kaschmirpullover, trägt seine Schuhe in der Hand und hat den Arm um die Schulter seiner Partnerin gelegt. Diese Frau ist splitterfasernackt. Völlig unbefangen gehen sie, leise miteinander plaudernd, am Strand spazieren.

Anneliese wird richtig rot vor Erregung, bleibt stehen und gafft den beiden hinterher wie die letzte Landpomeranze. »Wie findest du das?« fragt sie mich atemlos, als die Fata Morgana endlich außer Sicht ist. »Schamlos, oder?«

»Wie einen seltsamen Film! Und sehr mutig«, sage ich und grüble. Über den gepflegten, braungebrannten Mann muß ich nicht weiter nachdenken, von Ewalds Sorte treiben sich hier viele herum. Es ist höchstens verwunderlich, daß er offenbar mit der eigenen Gattin den Urlaub verbringt. Aber diese Frau mit schlaffen Brüsten, dem leicht heraustretenden Bauch und den tiefen Quetschfalten im Unterleib, der spärlich behaarten Scham und den gutgeschnittenen Gesichtszügen gibt mir Rätsel auf. Wenn sie nicht erbarmungslos auf Fitness gesetzt haben, sehen viele hüllenlose Siebzigerinnen – und auch wir – nicht viel anders aus.

»Ich kann es mir nur so erklären«, sagt Anneliese nach einiger Zeit, »ihm ist genauso kalt wie mir, aber sie ist abgehärtet. Würdest du…?«

»Niemals«, sage ich und denke daran, wie ich mich 1960 als straffe junge Frau bereits schwertat, unbekleidet mit Udo in der einsamen Dünenlandschaft zu liegen.

»Was sollen wir machen, wenn Ewald im Adamskostüm mit uns baden gehen will?« fragt Anneliese.

Ich muß kichern. »Bei diesem kühlen Wind ist es kaum zu befürchten«, sage ich. »Von mir aus kann er sich aber gern den Tod holen, deswegen brauchen wir nicht denselben Unsinn zu machen!«

Später trennen wir uns. Anneliese geht aufs Zimmer. Sie will sich vor dem Abendessen noch ein wenig ausruhen. Ich entdecke ein windgeschütztes Plätzchen in einem verlassenen Strandkorb, von wo ich ohne jegliche Euphorie aufs aufgewühlte Meer schaue; schon immer waren mir hohe Wellen ein bißchen suspekt. Fast neben mir sitzen zwei junge Männer im perfekten Freizeitlook, aber wie gewohnt nimmt man mich nicht wahr. In weinerlichem Tonfall behauptet der eine: »Der Fun-Faktor ist hier einmalig«, und sein Freund antwortet gelangweilt: »In der Tat, es geht doch nichts über das Sylter Beach Feeling.«

Da mir die beiden mit ihrem Gelaber auf den Geist gehen, suche ich mir nicht allzuweit vom Hotel eine weiche Kuhle in der sandigen Heide und prüfe ein paar Hagebutten auf ihren Reifezustand. Anneliese würde sofort Marmelade daraus machen. Aber nun höre ich Stimmen aus direkter Nähe, die mir vertraut vorkommen.

Moritz meint: »Ist das nicht super hier! So einen Job kriegt man nur einmal im Leben. Sylt ist die größte deutsche Nordseeinsel und sicher auch die teuerste. Scheint aber genug Geld zu haben, unsere gute Lore!«

Und Ricarda: »Kein Wunder, wenn man einen Laden hatte, der Goldgrube heißt! Aber sie ist okay, ich mag sie lieber als die Dicke, die dich immer so penetrant anmacht.«

»Ohne meinen Charme hätten uns die beiden niemals angeheuert.«

Ricarda lacht. »Was du dir alles einbildest! Ach, ich freu mich schon wieder aufs Abendessen, wahrscheinlich habe ich in den paar Tagen fünf Kilo zugenommen!«

»Und ich freue mich schon auf etwas viel Süßeres«, sagt Moritz.

Auch die hiesige Küche ist keine Enttäuschung: Die Nordseescholle ist fangfrisch, die Estragonsoße fließt gelb und würzig über den Fisch und die grünen Spargel. Zum Nachtisch gibt es Amaretto-Sahnepudding mit Passionsfruchtgelee. Zwei Flaschen Riesling müssen dran glauben. Da mich unsere jungen Gäste für reich und großzügig halten, bleibe ich meiner Rolle treu. Ein Flug nach Portugal inklusive drei Wochen Vollpension wäre wesentlich billiger gewesen.

»Wann kommt Ewald eigentlich an?« frage ich meine sicherlich gut informierte Freundin, und die Studenten lachen. Sie denken immer noch, Rudis Hund sei gemeint.

»Wir sollen ihn morgen um 15.20 Uhr vom Flugplatz Westerland abholen«, sagt Anneliese. »Das ist nicht allzuweit von Kampen. Er fliegt erst nach Hamburg und dann weiter mit Sylt Air. Ich glaube, er hat etwas von einer Cessna gesagt – ist das nicht gefährlich?«

Wir beeilen uns alle drei, Anneliese von der Harmlosigkeit des Fluges zu überzeugen, wenn auch Ricarda bezweifelt, daß bei diesem Wind ein kleiner Wackelflieger überhaupt starten darf. Die dritte Flasche Schloß Johannisberger wird geöffnet, und völlig unerwartet bietet Anneliese den Studenten das Du an. Ich bin ebenfalls gut aufgelegt und gebe ihnen für den nächsten Tag frei; zum Flughafen werde ich persönlich fahren.

Schließlich liegen Anneliese und ich in unseren zwei Einzelzimmern. Von meinem Bett aus kann ich die Heidelandschaft und einen Leuchtturm sehen.

20

Mein Exmann und ich waren als junges Paar längst nicht so selbstbewußt, vergnügt und ungezwungen wie Moritz und Ricarda. Stets achteten wir darauf, uns anständig zu benehmen und auf keinen Fall unangenehm aufzufallen. Selbst im größten Zorn wären einer wohlerzogenen Tochter wie mir keine »schmutzigen« Wörter über die Lippen gekommen. *Ladylike* war die Devise. Wenn Udo mit seinen angetrunkenen Skatfreunden über den Kinsey-Report oder Beate Uhse witzelte, verstummte man, sowie ich den Raum betrat.

Seit unserer ersten Reise nach Sylt sind mehr als 45 Jahre vergangen. Damals wollten wir uns beweisen, daß wir genauso aufgeschlossen und modern waren wie die Verfechter der Freikörperkultur; aber im Grunde waren wir so prüde wie unsere Eltern und fühlten uns als Nackedeis nicht wohl.

Leider muß ich zugeben, daß es mir heute nicht viel anders ergeht, wenn auch aus anderen Gründen. Wäre ich jetzt noch einmal jung und hübsch, ich würde Sonne, Wind und Salzwasser auf meiner bloßen Haut von Herzen genießen, aber einen Anblick wie die unwürdige Greisin gestern will ich keinem zumuten.

Lore, du bist und bleibst eine Spießerin! schimpfe ich mich selbst aus. Die Gesellschaft sollte es akzeptieren, daß zwischen jungen und alten Körpern Unterschiede bestehen. Schließlich ist es dem Betrachter freigestellt, was er für ästhetisch hält. Junge wie Alte folgen dem einseitigen Schönheitsideal der Medien, keiner bringt den Mut auf, sich dagegen aufzulehnen. Die Nackte von gestern war ein Freigeist, man sollte ihre Souveränität bewundern.

Viel zu lange bin ich heute im Bett geblieben. Inzwischen ist es bereits zehn, und Anneliese und die jungen Leute sitzen nicht mehr am Frühstückstisch. Ich hole mir eine Zeitung, trinke Kaffee und lese rein mechanisch, denn mich beschäftigen andere Dinge als Politik und Wirtschaft. Warum kommt Ewald hierher, kaum daß seine Frau gestorben ist? Was treibt ihn Hals über Kopf nach Sylt, obwohl er sich wochenlang überhaupt nicht bei uns gemeldet hat? Kann es wirklich nur an den Dosen liegen?

Draußen sonnt sich Anneliese in einem Liegestuhl. Von der sommerlichen Gartenarbeit hat sie ohnedies eine gesunde Gesichtsfarbe, aber offenbar will sie rot wie ein Hummer werden.

Schnell wünsche ich ihr einen guten Morgen,

dann mache ich eine kleine Tour durch den Ort. Verwundert betrachte ich den Schnickschnack in manchen Schaufenstern, der selbst im versnobten Wiesbaden auffallen würde. Pullover und Handtaschen, die soviel kosten, wie unsere Putzfrau in einem halben Jahr verdient. Sündhaft teurer Schmuck und Armbanduhren, die entweder für die zurückgebliebene Gattin zur Wiedergutmachung oder für die neue Freundin als Morgengabe gedacht sind. Eigentlich fände ich es interessant, wenn mir einer der sagenhaften Promis über den Weg liefe, der all das Zeug kauft. Aber die meisten sind Touristen wie ich, die bloß gaffen wollen.

Endlich ist es soweit, und wir können Ewald abholen. Anneliese und ich sind etwas aufgeregt, als wir vom winzigen Terminal aus die pünktliche Landung eines sehr kleinen Flugzeugs beobachten.

Als erster Passagier steigt tatsächlich Ewald aus, schaut jedoch nicht in unsere Richtung, sondern hilft dem Piloten, ein unförmiges Gepäckstück aus dem kleinen Flieger zu wuchten.

»Typisch Golfer«, bemerkt ein junger Mann, der neben uns steht.

Als schließlich die Besitzerin des Sport-Equipments selbst herausklettert, dreht sich Anneliese kreidebleich zu mir um und flüstert: »Da kriegst du doch die Motten! Er hat tatsächlich die Frechheit, diese Yola mitzubringen!«

»Quatsch«, tröste ich, »er hat doch nur ein Einzelzimmer reservieren lassen!«

Der dritte und letzte Fahrgast, der sich herauswindet, ist zu unserer grenzenlosen Verblüffung niemand anderer als der lange, leichenblasse Rudi. Der junge Mann neben uns läuft ihm mit ausgebreiteten Armen entgegen.

Anneliese nimmt geistesgegenwärtig und blitzschnell ihre geklauten Ohrgehänge ab.

So eilig hat Ewald es nicht. Er hat im Moment nur Augen für ein Segelflugzeug, das auf der grünen Wiese parkt. Deutlich kann man hören, wie er zu seiner Mitreisenden sagt: »Mit so einer D-5701 habe ich vor vielen Jahren das Fliegen gelernt! Aber was soll's, irgendwann ist man für alles zu alt. Ich wünsche Ihnen einen schönen Aufenthalt und viel Erfolg beim Turnier.«

Als Ewald sich schließlich in Bewegung setzt, ist Rudi mit seinem Freund längst bei uns angelangt. Seinen Hund hat er offenbar zu Hause gelassen.

»Das tut aber gut, wieder mit beiden Beinen auf dem Boden zu stehen«, sagt er erleichtert, »am liebsten möchte ich die Erde küssen! Eigentlich wollte ich, daß meine smarten Tanten vor Staunen platt sind, aber sie wußten dank übersinnlicher Fähigkeiten bereits genau, daß ich im Anflug war! Wie habt ihr das bloß herausgekriegt?«

Auch der dunkelbraungebrannte Ewald nähert sich und winkt fröhlich mit seiner Prinz-Heinrich-Mütze. Als er uns mit zwei jungen Männern reden sieht, zieht er sein Lächeln wieder ein und bemerkt etwas spitz, als er vor uns steht: »Bereits Anschluß gefunden?«

Anneliese ist grenzenlos erleichtert, daß die Golferin nicht Yola ist, und fällt Ewald einfach um den Hals. Ich stehe stocksteif daneben.

Rudi macht mich unterdessen bekannt: »Lore, du kennst Lukas ja noch gar nicht. Seine Eltern haben hier auf Sylt ein kleines Reetdachhaus, da dachte ich, wir könnten euch bei dieser Gelegenheit mit einer Stippvisite überraschen.«

Schön und gut, aber eigentlich kommt uns Rudi mit seiner Überraschung ziemlich in die Quere. Statt uns Ewald vorknöpfen zu können, fahren wir brav dem gemieteten Porsche von Rudis Freund hinterher. Der vielgepriesene Lukas hat uns zum Kaffeetrinken eingeladen.

Bald darauf sitzen wir im Garten der *Kupferkanne* und essen Blaubeerkuchen. Der Blick auf die buckligen Kiefern, die braune Heide und das graublaue Wattenmeer im hellen Licht des Nordens läßt ahnen, warum es so viele Künstler hierhergezogen hat.

»Wie wolltest du uns eigentlich ausfindig machen? Du konntest doch gar nicht wissen, wo wir untergekommen sind«, sage ich zu Rudi.

Irgendwie hätte man uns schon aufgespürt, sagt er, zwar könne er nicht hellsehen wie wir, sei aber ein cleverer Bursche.

Sein netter Freund strahlt ihn an: »Stimmt, *full of pepper and energy*!« meint er bewundernd.

Nach einer knappen Stunde verlassen uns die beiden, um noch im *Gogärtchen* einen Prosecco zu trinken. Anneliese und ich fahren mit Ewald ins Hotel, damit er endlich seinen Koffer auspacken kann.

»Ach, Kinder, ist das schön hier!« sagt er nun schon zum wiederholten Mal. Er hat bis jetzt nicht verraten, wie lange er bleiben will oder kann. Anscheinend tun wir uns alle drei schwer mit einem klärenden Gespräch. Zuerst berichtet Ewald uns des langen und breiten von seinem Flugerlebnis in der winzigen Cessna, nicht etwa von seiner trauernden Familie oder gar der geheimnisvollen Italienreise.

Anneliese wird ungehalten. »Sag uns lieber, warum du wochenlang dein Handy abgestellt hast!«

Er habe es nicht ausgeschaltet, es sei ihm leider gestohlen worden, behauptet Ewald. Ob wir seine Karte nicht erhalten hätten?

Auch mir wird das Geplänkel allmählich zu bunt.

»Ewald«, sage ich streng. »Woran ist deine Frau denn letzten Endes gestorben?«

Offensichtlich versetzt ihn meine Frage in leichte Panik. Er wirft Anneliese einen hilfesuchenden Blick zu und sieht sich mißtrauisch nach allen Seiten um, denn wir sitzen nicht allein im Hotelgarten.

»Lore ist selbstverständlich über alles informiert«, sagt Anneliese, »aber wir sollten vielleicht ein paar Schritte in die Dünen hinausgehen.«

Wir finden eine sonnige Bank, an der nur hin und wieder ein Spaziergänger vorbeikommt.

»Seit 1965 war ich nie wieder auf der Insel«, setzt Ewald erneut an, »mit *Buhne 16* verbinde ich angenehme Erinnerungen. Damals war noch richtig was los hier!«

Doch ich will jetzt endlich Tacheles reden. »Was hat die Obduktion ergeben?« frage ich und erfahre, daß der Befund erst nächste Woche zu erwarten ist. Man geht offenbar davon aus, daß kein Fremdverschulden vorliegt, und betrachtet andere Fälle als vordringlicher.

»Und wie waren die Flitterwochen in Italien?« fahre ich mit meiner Inquisition fort.

Offensichtlich habe ich Ewald überrumpelt. »Wie kommst du denn darauf?« fragt er irritiert.

»Wir wissen über Yola Bescheid«, sagt Anneliese.

Eine Weile ist es ganz still, nur die Möwen und der Wind sind zu hören.

»Wollt ihr sie mal sehen?« fragt Ewald schließlich, aber wir schütteln beide empört den Kopf. Er läßt sich dadurch nicht beirren, greift in die Brieftasche und zieht stolz ein Foto heraus, Anneliese und ich synchron unsere Brillen.

Neugierig betrachten wir das Bild der Heidelberger Oberärztin, die in dieser Position kein blutjunges Mädchen sein kann. Die aparte, etwa vierzigjährige Frau hat einen auffallend dunklen Teint, aber leuchtend helle Augen; sie trägt ein rotes Kleid im Carmenlook mit schulterumspielenden Rüschen. Quer über das Foto steht mit Silberstift geschrieben:

Für meinen lieben Sugar-Daddy

Mir bleibt einen Moment lang die Spucke weg, so geschmacklos finde ich diese Widmung.

Anneliese hält sich aber nicht zurück. »Schämst du dich denn gar nicht!« entrüstet sie sich. »Die könnte doch glatt deine Tochter sein!«

Ewald grinst geschmeichelt: »Da hast du direkt recht.«

Allerdings ist seine richtige Tochter ein armseliges Aschenputtel gegen diese Klassefrau, denke ich.

Bei Anneliese überwiegt die Neugier, und sie will mehr erfahren. »Ist sie Deutsche?«

»Ja, natürlich«, sagt Ewald leichthin, »aber ihre Mutter stammt aus Brasilien. Yola ist in Deutschland geboren, hat hier Schule und Universität besucht und später einen Lehrer geheiratet, von dem sie vor ein paar Jahren geschieden wurde.«

»Also konnte sie jetzt zum zweiten Mal heiraten!« sagt Anneliese spitz.

Ewald nickt. »Es war eine einmalig schöne Hochzeit«, sagt er, »in Italien versteht man es noch, richtig zu feiern.«

Allmählich halte ich ihn für krank. Ganz behutsam und freundlich mit ihm sprechen, nehme ich mir vor, auf keinen Fall Aggressionen wecken. Wahnsinnige sollen unberechenbar sein.

»Verlangen die italienischen Standesbeamten keine Papiere?« frage ich mit scheinbar harmlosem Interesse.

»Wieso denn nicht?« fragt er zurück. »San Remo liegt schließlich an der ligurischen Blumenriviera und nicht in Nevada!«

Fast gleichzeitig schielen Anneliese und ich auf seine Hände, aber da ist weder ein alter noch ein neuer Ring zu sehen.

Nun zeigt sich doch, daß Anneliese die Mutigere von uns beiden ist, denn sie schreit ihn an: »Bernadette war noch gar nicht tot, als du klammheimlich in Ligurien geheiratet hast! So etwas nennt man Bigamie, und ich würde gern mal wissen, mit welchen Summen du die Italiener bestochen hast.«

Mit offenem Mund starrt uns Ewald an. »Vorhin habt ihr noch behauptet, ihr wüßtet über Yola Bescheid!« sagt er schließlich. »Aber da bringt ihr irgend etwas durcheinander! Über so eine schmutzige Phantasie können nur zwei alte Weiber verfügen! Nicht ich habe geheiratet, sondern Yola! Und ich war Trauzeuge, weil ich ihr Vater bin.«

Nach und nach klärt sich alles auf. Als junger Ehemann hatte Ewald eine Affäre mit einer ebenfalls verheirateten Brasilianerin. Als sie ihn nach einigen Monaten über ihre Schwangerschaft informierte, mochte er an seine Vaterschaft nicht recht glauben. Die Sache war im übrigen hochbrisant, weil Bernadette zum gleichen Zeitpunkt ebenfalls ein Kind erwartete. Ewalds Zweifel kränkten seine Geliebte, und sie erklärte das Verhältnis für beendet. Und ihr inzwischen verstorbener deutscher Ehemann stellte nie in Frage, daß Yola seine Tochter war.

Vor zwei Jahren zog Yolas Mutter nach Brasilien zurück und fand den Zeitpunkt für gegeben, die Tochter über ihre wahre Abstammung aufzuklären. Daraufhin setzte Yola alle Hebel in Bewegung, um ihren unbekannten Vater aufzuspüren. Sie wollte

Gewißheit, und so einigte man sich auf einen DNA-Test, der die Sache endgültig klarstellte.

»Bernadette war sehr eifersüchtig, gelegentlich hatte sie auch Grund dazu. Niemals hätte sie es verkraftet, daß ich fast zeitgleich zwei Töchter mit zwei Frauen gezeugt habe. Als sie Briefe von Yola fand, habe ich sie lieber in dem Glauben gelassen, es handle sich um eine Affäre.«

Ein wenig beschämt schauen Anneliese und ich in die Ferne. Müssen wir uns jetzt entschuldigen?

»Wahrscheinlich war es ein gewagter Schachzug, Bernadette in die Heidelberger Klinik einweisen zu lassen, wo Yola arbeitet. Doch ich wollte meine Tochter endlich näher kennenlernen, und so bot sich die Gelegenheit, sie von Schwetzingen aus fast jeden Abend zu besuchen. Vielleicht hätte ich euch von Anfang an reinen Wein einschenken sollen, tut mir leid...« sagt Ewald.

Wir atmen hörbar auf.

»Hat dir denn Yolas Mutter inzwischen verziehen?« frage ich.

»Ich weiß es nicht«, sagt Ewald, »es scheint Luiza nicht gutzugehen, sie mußte sich kürzlich ein neues Hüftgelenk einsetzen lassen.«

»Kommt, wir laufen noch ein wenig«, schlage ich vor, »damit wir beim Abendessen ordentlich zuschlagen können.«

»Gern«, sagt Ewald und zieht Anneliese hoch. »Mädels, ihr habt euch so schrecklich aufgeregt. Wart ihr am Ende eifersüchtig?«

21

Auch an diesem Abend wird geschlemmt, und zwar in voller Besetzung: Anneliese und ich, Ewald, Moritz und Ricarda, Rudi und Lukas.

Trotz des feinen Menüs habe ich das unbestimmte Gefühl, daß dieser Abend ein Flop wird: Wahrscheinlich sind wir einfach zu viele. Anneliese unterhält sich mit Ewald, und zwar so leise, daß ich nichts mitkriege und mich ärgere. Moritz und Ricarda, die anfangs von ihrer heutigen Radtour durch sechs Naturschutzgebiete erzählt haben, verstummen allmählich. Selbst die Tips von Lukas für eine Exkursion nach Rantum nehmen sie lustlos zur Kenntnis. Von fröhlicher Stimmung kann trotz der geleerten Weinflaschen nicht die Rede sein, im Gegenteil – ich beobachte mühsam unterdrücktes Gähnen, diskrete Blicke auf die Armbanduhr, heimliches Lockern der Gürtelschnallen. Reichlich früh wünschen wir uns gegenseitig eine gute Nacht und verziehen uns auf die Zimmer. Rudi und sein Freund steigen ins Auto; Lukas hat sich beim Trinken zum Glück zurückgehalten. Vermutlich ist es die Luftveränderung, die uns alle so müde macht.

Trotzdem schlafe ich nicht gleich ein. Anneliese mault bei jeder Gelegenheit, daß die Studenten nicht unsere Enkel seien und ich sie zu sehr verwöhne. Irgendwie hat sie ja recht. Vielleicht sollte man ihnen weitere Aufgaben zuweisen, überlege ich, sie erhalten zwar für Chauffeurdienste eine Tagespauschale sowie Kost und Logis, aber wenn wir Station machen, haben sie nicht das geringste zu tun. Soll ich sie entlassen? Ewald könnte uns ebenfalls nach Hause fahren. Andererseits sind es liebenswerte junge Menschen, ich brächte es nicht übers Herz, sie um ihr Urlaubsglück zu prellen.

Schon sehr zeitig stehe ich auf, aber Anneliese und Ewald sitzen bereits am Frühstückstisch. Anfangs nehmen sie mich gar nicht wahr, so sehr sind sie in ihr Gespräch vertieft. Erst als ich vor ihnen stehe, wechseln sie das Thema, und wir reden fünf Minuten lang über das Wetter.

»Ich freue mich auf einen langen Spaziergang«, sagt Ewald und schiebt die verhaßte Butter in Annelieses Richtung. »Es gibt nichts Schöneres, als barfuß am Strand entlangzulaufen. Und für die Füße ist es sowieso das beste!«

Da bin ich ganz seiner Meinung. Anneliese wendet zwar ein, daß es noch zu kühl sei, aber sie ist offensichtlich entschlossen, uns zu begleiten. Zuvor verschwinden wir in unsere Zimmer, um die richtigen Schuhe und Jacken auszuwählen, und treffen uns nach einer halben Stunde am Ausgang des Hotels.

Es ist diesig, windig und tatsächlich ein bißchen frostig, aber zum Wandern ideal. Noch ist es einsam, kaum ein Urlauber kriecht so früh aus den Federn wie wir drei Rentner. Bereits nach zehn Minuten ziehen wir die Schuhe aus. Anneliese sorgt dafür, daß unser Tempo nicht forsch ausfällt, bückt sich ab und an nach einem glänzenden Steinchen oder einer rosa Muschel oder entdeckt einen unbekannten Vogel. Nach einer Stunde ist sie reif für eine Rast. Ewald breitet seine Lederjacke als Unterlage aus, und wir sitzen etwas zu eng beieinander. Ich vergrabe meinen unschönen Hammerzeh unauffällig im Sand. War es anfangs noch sehr frisch, so wird es uns jetzt im windgeschützten Strandhafer fast zu warm, denn die Sonne strahlt inzwischen mit aller Kraft. Es duftet nach Salz und Heidekraut.

»Wer konnte auch ahnen, daß sich das Wetter hier so schnell ändert! Schade, daß wir keine Badesachen mitgenommen haben«, sagt Ewald und betrachtet neiderfüllt, wie sich in der Ferne ein paar Mutige juchzend in die Wellen werfen. Längst haben wir Jacken und Pullover abgelegt und die Hosenbeine bis zu den Knien aufgekrempelt, wobei Annelieses

Krampfadern zum Vorschein kommen. Ewald hat nur die obersten drei Hemdknöpfe geöffnet, weil er seinen Bauchansatz nicht offenlegen will. Seine Zehnägel sind gelb, aber das ist ihm anscheinend nicht bewußt. Zum Glück haben wir unsere Sonnenbrillen dabei, denn das glitzernde Meer vor unserer Nase blendet und übt einen unheimlichen Sog aus.

Anneliese ist es, die ganz plötzlich vom Teufel geritten wird.

»Ich pfeife auf den Badeanzug, ich muß jetzt ins Wasser! Schließlich ist das hier ein Nacktbadestrand!« sagt sie aufmüpfig, pellt sich zielstrebig aus ihrer Hose, knöpft die Bluse auf und brüllt uns an: »Feiglinge!«

Das läßt Ewald nicht auf sich sitzen, und er beginnt leicht verlegen, sich hinter unserem Rücken zu entkleiden. Als letzte werfe auch ich in rasender Eile Stück für Stück meiner Wäsche ab. Irgendein Wahnsinn treibt uns dazu, alle Scham über Bord gehen zu lassen. Wir sehen uns gegenseitig nicht an, schmeißen die Kleider auf einen Haufen, nehmen uns an den Händen – Ewald in der Mitte – und laufen so schnell wir eben können zum Wasser hinunter. Es ist eiskalt, mir bleibt fast die Luft weg, und dabei sind wir erst bis zu den Knien eingetaucht.

»Augen zu und durch! Nach ein paar Sekunden

242

wird es besser!« schnaubt Ewald und reißt uns weiter, bis uns eine große Welle mit Haut und Haaren erwischt. Wir kreischen in den höchsten Tönen, hüpfen kindisch in der Brandung herum und reden uns ein, daß wir Vergnügen dabei empfinden. In Wahrheit ist es einfach gräßlich und über alle Maßen peinlich. Gleich wird es noch unangenehmer werden, wenn wir mit unseren unterkühlten und verschrumpelten Körpern wieder an Land müssen. Bevor wir jämmerlich zu Grunde gehen, sollten wir raus aus dem Polarmeer.

Jetzt erst werfe ich einen scheuen Blick auf meine Leidensgenossen. Bei Anneliese fällt am meisten auf, wie sonnengebräunt Gesicht, Hals und Hände, und wie schweinchenrosa ihr barocker Körper ist. Ewald hat zwar einen bronzefarbenen Brustkorb aus Italien mitgebracht, aber vom Nabel abwärts ist er grauweiß und fleckig wie eine schmutzige Serviette. Ich dagegen bin blau vor Kälte. Bibbernd und schnatternd hasten wir zu unseren Klamotten, wo uns noch nicht einmal ein Handtuch erwartet. Jeder wendet den anderen seinen Hintern zu, um sich mit Hemd oder Taschentuch notdürftig abzutupfen; Anneliese kichert hysterisch vor sich hin. Noch tropfen und klappern wir um die Wette, als Ewald wie ein gefällter Baum zu Boden sinkt.

Anneliese ist sofort an seiner Seite. »Lore, hast du

dein Handy dabei!« schreit sie mich an, als ob sie nicht selbst eines im Hotel liegen hätte.

Nackend wie wir sind, knien wir neben Ewald nieder und fühlen rechts und links erfolglos seinen Puls.

»Herzinfarkt?« frage ich die erfahrene Anneliese.

»Kreislaufkollaps«, vermutet sie, »am besten würde man ihm jetzt ein heißes Getränk einflößen…«

Bevor jemand kommt, ziehen wir uns blitzschnell BH und Slip wieder an. Dann betrachten wir aufmerksam, was da naß, nackt und fahl vor uns ausgebreitet liegt. Ewalds goldbraune Gesichtsfarbe ist einer leichenhaften Blässe gewichen. Durch den Kälteschock hat sich sein empfindlichstes Teil fast ganz in ein imaginäres Mauseloch verkrochen. Seine Unterschenkel scheinen im Gegensatz zum kräftigen Rumpf zwei dünne, mit Sand panierte Stecken zu sein. Gemeinsam versuchen wir, dem Bewußtlosen wenigstens einen wärmenden Sweater überzustreifen.

Als wir seinen Kopf mühsam in den Ausschnitt einfädeln, schlägt Ewald die Augen auf, blinzelt zu Annelieses üppigem Busen empor und fragt sichtlich verwirrt: »Spatzel, hast du zugenommen?«

Tiefer konnte er Anneliese nicht kränken, denn er hat sie offensichtlich mit Bernadette verwechselt.

Trotzdem bin ich gemein genug, in nervöses Gelächter auszubrechen.

Nach einer Schrecksekunde schließt Ewald wieder die Augen, atmet aber hörbar und bewegt sich ein bißchen. Als ihm klar wird, daß er nur mit dem Kopf in einem Pullover steckt, langt er hastig nach dem nächstbesten Kleidungsstück und bedeckt wenigstens seine Blöße. Dann schielt er fast neugierig zu Anneliese hinüber und bemerkt leise, aber so galant wie eh und je: »In jeder Frau steckt doch eine Venus!«

»Einen schönen Schreck hast du uns eingejagt«, sage ich zu Ewald und beschließe, ihn ein wenig anzulügen. »Wir haben fast eine halbe Stunde lang Mund-zu-Mund-Beatmung und Herzmassage gemacht. Wenn Anneliese sich nicht so ins Zeug gelegt hätte, wärest du uns unter den Händen weggestorben.«

»Und das wäre nicht besonders schade gewesen«, knurrt sie zornig und stampft Ewalds Sonnenbrille in den Sandboden, wobei aber nur ein Bügel abknickt.

Ewald bleibt noch zehn Minuten ruhig liegen, dann zieht er sich an und erklärt sich dazu bereit, langsam mit uns in die Richtung des nächsten orangegestrichenen Stelzenhäuschens zu gehen, wo ein Rettungsschwimmer per Funk für Ewalds Abtransport sorgt.

Inzwischen ist es halb zwölf, und Scharen von Urlaubern mit riesigen Taschen, Bambusmatten, Schirmen, Bällen und Spaten kommen Anneliese und mir entgegen. Die Strandkörbe werden Zug um Zug alle besetzt. Zum Glück sind keine Schulferien, nur Kleinkinder sind mit ihren Eltern unterwegs, die ihre armen Würmer hoffentlich nicht in dieses Eiswasser jagen.

»Wenn wir im Hotel sind, essen wir ein heißes Süppchen, und dann ab ins Bett. Heute ist mir nicht nach Liegestuhl«, meint Anneliese.

»Wir müssen uns zuerst nach Ewald erkundigen«, sage ich, »die Sanitäter wollten ihn vorsichtshalber zum Arzt bringen. Weißt du zufällig, ob er schon häufiger kollabiert ist?«

»Ist mir doch egal«, sagt Anneliese.

An der Rezeption bekommen wir die Auskunft, daß Ewald längst in seinem Zimmer liege, einen Grog getrunken habe und keinen kranken Eindruck mehr mache. Unter diesen Umständen lassen wir ihn in Ruhe und legen uns ebenfalls aufs Ohr.

Erst um halb vier sitzen wir bei einer Tasse Kaffee im Garten und überlegen, ob wir jetzt nach Ewald sehen sollten. In diesem Moment tritt der Patient höchstpersönlich und in bester Laune an unseren Tisch.

»Gerade bin ich ein Stückchen die Straße hinuntergegangen und habe euch ein kleines Dankeschön für die Herzmassage mitgebracht!« Dabei legt er ein Tütchen mit kunstvoll eingepackten Gegenständen vor uns hin.

»Für meine Lebensretterinnen! Eines für Lore, eines für Anneliese!« sagt er siegesgewiß. Wir greifen zu, wickeln aus und achten gleichzeitig darauf, was die andere bekommen hat. Ewald hat für jede von uns ein Herz ausgesucht, eines aus Rosenquarz, das andere aus Amethyst. Ein weiteres Päckchen liegt noch unangetastet vor uns.

Anneliese geht unserem Gönner sofort auf den Leim.

»Nein, wie symbolisch! Und ganz entzückend!« sagt sie begeistert, »und für wen ist das dritte?«

»Ach so, das ist für meine Tochter«, sagt Ewald und steckt das überzählige Herz wieder ein.

»Für welche?« frage ich.

»Für Yola natürlich«, antwortet Ewald und fängt an zu überlegen. »Vielleicht sollte ich für Michaela ebenfalls ein Herz kaufen… Irgendwie habe ich gar nicht daran gedacht! Und dann müßte es am Ende noch eines für meine Schwiegertochter sein!«

»Laß dir doch gleich Mengenrabatt geben«, sage ich spöttisch.

Anneliese streicht über die glattpolierte Oberfläche und scheint echte Freude zu empfinden. »Vielen Dank, Ewald«, sagt sie, »es tut immer wieder gut, wenn Männer ein Herz verschenken.«

»Selbst wenn es aus Stein ist?« frage ich. Leider kann ich mich über das kleine Mitbringsel nicht richtig freuen. Warum kam Ewald nicht auf die Idee, uns unterschiedliche Präsente zu machen? Abrupt stehe ich auf und verlasse die beiden.

Wahrscheinlich gehe ich denselben Weg, den unser Herzspender genommen hat, denn ich komme schon bald an jenem Geschäft vorbei, aus dem seine Liebesgaben stammen: Exklusiver Schmuck für die Reichen und diverse Souvenirs für die Touristen. Herzen aus Topas, Mondstein, Feueropal und Achat, sogenannte Donuts aus Jade, Aventurin, Hämatit und Tigerauge. Mein Gott, ich kenne mich mit Halbedelsteinen natürlich aus. Trotzdem kann ich es nicht lassen, mich nach den Preisen zu erkundigen. Das Herz aus Amethyst ist das kostbarste, stelle ich mit Genugtuung fest, und genau das gehört jetzt mir und nicht Anneliese. Aber diese Erkenntnis macht mich nicht glücklicher, denn Ewald hat es dem Zufall überlassen, wer nach welchem Päckchen griff.

Seltsamerweise geht mir der bewußtlose Ewald nicht aus dem Kopf, obwohl dieser Anblick bestimmt nicht geeignet war, erotische Phantasien zu erzeugen. Wenn meine Freundin nicht dabeigewesen wäre, hätte ich ihn vielleicht in die Arme genommen und an meinem Körper aufgewärmt.

Es ist schon verwunderlich, daß zwei betagte Freundinnen wie Teenager fühlen, sobald es um einen Mann geht. Statt Eifersucht und Neid zu empfinden, sollten wir uns lieber auf weibliche Solidarität und unsere mühsam erworbene Altersweisheit besinnen.

Zumindest Neid ist eine der sieben Todsünden. Ich grüble lange, ob mir noch sechs weitere einfallen. Völlerei gehört sicherlich dazu, Geiz wohl auch. Von mir aus kann Anneliese ihren Ewald behalten, ich bin schließlich kein Geizkragen.

Sie hocken immer noch zusammen, als ich zurückkomme; auf Annelieses Teller erkenne ich die Reste einer Torte.

»Wißt ihr noch, welches die sieben Todsünden sind? Und zwar außer Völlerei?« frage ich.

Anscheinend sind die beiden gerade zu Albereien aufgelegt, denn sie grinsen mich an.

»Zorn, Trägheit und Hochmut«, predigt Ewald.

»Wollust«, stöhnt Anneliese.

Kaum will ich dieses Thema vertiefen, da klingelt Ewalds Handy.

Wie wir das bereits von ihm kennen, begibt er

sich zum Telefonieren mal wieder ins Abseits. Wir können kein Wort mithören, beobachten ihn aber mit Argusaugen. Es scheinen gute Nachrichten zu sein.

22

Für eine Midlife-crisis bin ich entschieden zu alt. Wahrscheinlich ist es eine allgemeine Sinnkrise, die mich beutelt. Ich liege in meinem schönen Hotelzimmer, schaue hinaus auf den Leuchtturm und frage mich: Was soll das alles? Ferien auf Sylt? Was mache ich eigentlich hier? Was will ich überhaupt noch, was möchte ich vom Rest meines Lebens?

Einen Mann brauche ich nicht mehr, aber gutes Essen allein stimmt mich auch nicht froh. Einen schönen Urlaub und ein bißchen Spaß habe ich mir gewünscht, aber bin ich nicht früher viel zufriedener gewesen, als ich mit Arbeit vollgepackt war? Müssen Rentner überhaupt Ferien machen?

Ewald hat die Nachricht erhalten, daß seine Frau jetzt bestattet werden könne. Wie erwartet, sei bei der toxikologischen Untersuchung ein Medikamentenabusus festgestellt worden, der mit hoher Wahrscheinlichkeit zum Tod geführt habe. Nun will er sofort nach Hause, um mit seinen Kindern die Beisetzung zu organisieren. Heute ist unser letzter gemeinsamer Abend, denn auch Rudi möchte seinen Laden nicht länger geschlossen halten. Theoretisch könnten Anneliese und ich noch ein paar Tage an der Nordsee bleiben, aber ich habe keine Lust dazu. Seufzend stehe ich auf, um mich für das Abendessen frisch zu machen.

Die Speisekarte interessiert inzwischen nur die Studenten, die sich sonst kein Restaurant leisten können.

Ewald meint: »Wenn ich morgen wieder zu Hause bin, mache ich mir Bratkartoffeln, das ist das einzige, was mir gelingt. Und dazu eine saure Gurke, ein Stück Sülze oder Leberwurst.«

Ja, so ist das, denke ich deprimiert. Da gebe ich täglich Unsummen für ein fürstliches Mahl meines Gefolges aus, aber im Grunde träumen alle schon bald von einfachen Genüssen. Pellkartoffeln mit Quark wären mir heute auch lieber als eine doofe Hirschnuß.

»Ich kann es kaum erwarten, wieder im Flugzeug zu sitzen«, sagt Ewald, »das war für mich das schönste an dieser Reise!«

Rudi schüttelt sich. »Und für mich das scheußlichste!« sagt er. »Am liebsten würde ich mit euch im Auto zurückfahren, aber da ist wohl kein Platz mehr.«

Zur Not schon, aber mit fünf Personen plus Gepäck wäre mein Wagen reichlich vollgestopft.

»Wißt ihr was«, schlägt Ewald vor. »Lore könnte doch auf Rudis Ticket fliegen, und er läßt sich mit Anneliese im Auto kutschieren – dann ist jeder zufrieden! Und in Hamburg treffen wir alle wieder zusammen.«

Eine Sekunde lang durchzuckt mich ein überwältigendes Glücksgefühl: Das ist es, was ich mir schon lange gewünscht habe! Wie kommt es, daß Ewald meine geheimsten Träume kennt?

Ich schaue ihn strahlend an, und wir lächeln uns zu wie Komplizen.

Nur Anneliese ist offenbar nicht recht einverstanden, am liebsten würde sie noch eine Woche hierbleiben. Außerdem gönnt sie mir diese Extratour mit Ewald nicht.

Rudi kommt ihren Einwänden zuvor. »Ach, Anneliese«, sagt er, »findest du diese Idee nicht wunderbar? Du kannst mir sicher nachfühlen, daß ich dieses laute Wackelflugzeug hasse und mir ein Platz im Auto um Welten lieber ist. Außerdem freue ich mich darauf, wenn du unterwegs ein paar Arien schmetterst!«

Lukas schaut interessiert von seinem Teller hoch. »Arien?« fragt er mit vollem Mund.

»Echt?« fragt Ricarda.

»Cool!« sagt Moritz.

Nun wird Lukas neugierig. »Das wäre die Krönung unseres Abschiedsessens«, sagt er zu Anneliese und spielt dabei lässig mit Rudis Hand.

»Ohne Klavierbegleitung ist das kaum möglich«, sagt die Sängerin, die sich gern bitten läßt. Ich werfe ihr einen warnenden Blick zu. Doch schon trällert sie ein Lied, von dem ich erst unlängst geträumt habe; Anneliese sieht sich als Sofia Loren in einem Cabrio sitzen:

Presto, presto, do your very besto.
Don't hang back like a shy little kid.
You'll be surprised that you did what you did!

Beim Refrain singen alle mit: *Bing bang bong!*, und die verlorengeglaubte gute Laune ist wieder da. Zum Glück haben die anderen Hotelgäste das Restaurant bereits verlassen. Nach drei weiteren Songs reicht es den beiden Paaren.

Auch Ewald empfiehlt sich, küßt uns die Hand und sagt: »Schlaft gut und träumt von eurem Herzbuben!«

Am nächsten Morgen starten die Autofahrer lange vor uns. Ewald und ich müssen gegen elf die Zimmer räumen, denn unser Flugzeug geht erst mittags. Wir haben genug Zeit für einen letzten Strandspaziergang.

Offenbar will mich Ewald ein bißchen über Anneliese aushorchen. »Gibt es eigentlich niemals Streit, wenn zwei Frauen zusammenwohnen?« fragt er.

Ich verneine natürlich, obwohl es nicht der Wahrheit entspricht.

»Wir verbringen ja nicht den gesamten Tag miteinander«, sage ich, »jede hat ihren privaten Bereich. Außerdem sind wir zu alt, um uns durch kindische Machtkämpfe gegenseitig zu provozieren.«

»Ich werde nach den Trauerfeierlichkeiten mein Haus verkaufen müssen«, sagt Ewald. »Es ist zu groß für mich und gehört jetzt zur Hälfte meinen Kindern. Michaela hat keine Familie, sie wird kaum darin wohnen wollen. Und für meinen Sohn kommt es sowieso nicht in Frage, er besitzt eine Jugendstilvilla und könnte aus beruflichen Gründen auch gar nicht wegziehen. Ich werde sie auszahlen müssen.«

»Schade, daß Annelieses Haus nicht größer ist«, überlegt er nach einer kleinen Pause. »Ich würde gern in Yolas Nähe leben, in eurer natürlich auch. Dann könnten wir drei eine prima Alten-WG gründen.«

Nicht schlecht eingefädelt, alter Fuchs, denke ich, beim Kochen und Waschen würdest du dich geschickt aus der Affäre ziehen.

»Auf Dauer wäre es zu eng«, sage ich, »denn du willst bestimmt deine komplette Einrichtung mitbringen!«

»Auf keinen Fall«, sagt Ewald, »ich möchte mich schließlich verkleinern! Außerdem weiß ich ja, wieviel Zeugs ohnehin bei euch herumsteht. Aber abgesehen davon…« Er unterbricht seine Rede, bückt sich und hebt einen glänzenden Gegenstand auf, der direkt vor uns im Sand liegt.

»Zeig mal her«, sage ich interessiert und nehme ihm die goldene Armbanduhr aus der Hand. Das Perlmuttzifferblatt ist mit kleinen Brillanten besetzt. »Donnerwetter! Ungefähr 3000 Euro«, schätze ich, »da wird sich jemand ziemlich grämen! Fürs Fundbüro ist keine Zeit mehr, aber wir können das gute Stück im Hotel abliefern.«

Ewald nimmt die Uhr wieder an sich und steckt sie in die Hosentasche.

»Lore«, sagt er, »Strandgut darf man behalten.«

»Es ist eine Damenuhr«, bemerke ich.

Ewald lacht. »Genau!« sagt er.

Es ist nicht lange her, daß ich eine rote Strickjacke im Schwetzinger Schloßpark gefunden und ohne Skrupel heute angezogen habe. Steht es mir zu, den ersten Stein zu werfen? Mit einem gekünstelten Auflachen erteile ich die Absolution. Zur Belohnung geht Ewald das letzte Stück Hand in Hand mit mir.

Wir freuen uns beide auf den Flug. Die liebenswürdige Hotelchefin hat versprochen, uns zum kleinen Airport zu bringen. Ewald behauptet, wir würden mit einer Cessna 182 oder 172 fliegen.

Sobald wir hinter der jungen Pilotin sitzen und mit lautem Geknatter starten, geht mir vor Begeisterung das Herz auf. Ewald hatte recht, wir fliegen sehr niedrig, man kann den Kühen fast ins Auge sehen, und bald liegen die nordfriesischen Nachbarinseln wie auf einer Landkarte unter uns. Noch aufregender ist es, das himmlische Licht- und Wolkenspiel zu beobachten. Obwohl wir in dem winzigen Flugzeug zwangsläufig beide einen Fensterplatz haben, scheint meine Seite die interessantere zu sein, denn Ewald preßt sich immer dichter an mich, um auf eine Kuh oder ein Bauernhaus hinzuweisen. Wenn ich auch etwas irritiert gegen die fordernde Schwere seines Körpers ankämpfe, so werde ich gleichzeitig von einer Welle des Glücks durchflutet. Als sich seine Hand, die ich immer für männlich und wohlgeformt gehalten habe, auf meinen Arm legt, beginnt meine Haut an dieser Stelle zu brennen, als hätte man einen Sonnenstrahl durch eine Lupe geleitet. Auf einmal kann ich nichts mehr erkennen, was da unter uns ausgebreitet liegt, vor meinen schmerzenden Augen gleißen nicht vorhandene Rapsfelder in strahlendgelben Wogen.

Obwohl ich gern die Zeit angehalten hätte, um jeden Augenblick endlos auszukosten, sind wir schnell am Ziel. Wahrscheinlich habe ich mich in dieser wunderbaren Stunde wider alle Vernunft doch noch in Ewald verliebt.

Auf dem Hamburger Flughafen heißt es Abschied nehmen.

»Macht's gut, Mädels«, sagt Ewald. »Ihr hört bald von mir!«

Wir winken ihm nach, bis wir erkennen, daß er sich bereits in eine Ecke verzogen hat und telefoniert.

Anneliese mustert mich aufmerksam. »Wie war der Flug? Du strahlst ja wie ein Honigkuchenpferd!«

»Tja«, sage ich schnippisch, »du ahnst gar nicht, was dir entgangen ist!«

Je weiter wir nach Süden kommen, desto trüber wird das Wetter. Anneliese sieht darin die Bestätigung, daß wir besser noch ein paar Tage am Meer geblieben wären. Ihre Stimmung verdüstert sich. Auch die beiden Chauffeure scheinen sich über irgend etwas zu streiten, aber sie sprechen sehr leise und nur in Andeutungen.

»Was hat Ewald eigentlich am Schluß noch gesagt?« flüstert mir Anneliese zu, denn anscheinend grübelt sie genau wie ich darüber nach, was werden soll.

Nach längerem Brüten und Schweigen fängt sie wieder an, und zwar viel leiser als sonst: »Was hieltest du davon, wenn Ewald für eine Weile zu uns zöge?«

Ich weiß nicht recht, ob ich mich ärgern oder freuen soll.

»Er würde wohl sehr gern mit mir – beziehungsweise mit uns – etwas enger zusammenleben«, meint sie.

Was soll ich dazu sagen? Daß ich von Ewald anders informiert wurde?

Er bedauerte doch, daß Annelieses Haus nicht größer sei. Nun, von *engerem Zusammenleben* hat Anneliese gerade gesprochen. Wenn Ewald das Bett mir ihr teilen möchte – oder eher sie mit ihm –, dann braucht er in der Tat kein separates Schlafzimmer und könnte sich in einer der Mansarden ein kleines Büro einrichten.

Das versetzt meinen soeben noch frischen und jugendlichen Gefühlen einen gehörigen Dämpfer. Leicht resigniert sage ich: »Wir wollten doch eigentlich keinen alten Mann mehr im Haus!«

Die Studenten haben wir ganz vergessen, und sie schalten wohl aus Taktgefühl das Radio ein.

»Hat Ewald dir eigentlich schon erzählt, daß er

noch einmal Großvater wird?« platzt es plötzlich aus Anneliese heraus. »Yola war bei der Hochzeit bereits im dritten Monat.«

»Was hat Ewald denn für einen Schwiegersohn?« will ich wissen. Yola hat einen Kollegen geheiratet, der im Heidelberger Stadtteil Handschuhsheim eine Praxis eröffnet hat. Sie wolle noch bis zur Entbindung in der Klinik und später stundenweise bei ihrem Mann arbeiten.

»Warum zieht Opa Ewald nicht gleich bei seiner tollen Yola ein?« frage ich, denn eine fatale Vision taucht vor mir auf. Wenn die spätgebärende Arbeitsbiene ihren Vater demnächst als Babysitter benötigt, wird er den plärrenden Säugling womöglich uns andrehen. Während ich den Kinderwagen im Schloßpark herumschieben muß, tanzen Ewald und Anneliese auf dem Tisch herum. Ich kann mir dieses Bild so lebhaft vorstellen, daß mir Tränen in die Augen steigen.

Natürlich entgeht es Anneliese nicht, daß ich mich aufrege, aber sie scheint es zu genießen.

»Vielleicht könnte man unsere Garage als Einliegerwohnung umbauen«, überlegt sie, »du stellst deinen Wagen ja sowieso auf die Straße.«

Ja, was denn nun? Erst ging es darum, daß Ewald nur so lange bei uns unterkommen möchte, bis er eine passende Wohnung gefunden hat. Jetzt soll bereits das Haus umgebaut werden? Und wer wird das alles mal wieder bezahlen? Oder rechnet Anneliese damit, daß ich das Feld räume, damit sich die beiden nach Belieben breitmachen können? Wo soll ich auf meine alten Tage bleiben? Meine Schwiegertochter liebt mich nicht gerade heiß und innig, noch nie war die Rede davon, daß man mich nach Berlin holen möchte. Ich verstumme völlig.

»Warum geben wir diesem Mann soviel Macht über uns?« lenkt Anneliese unvermittelt ein. »Warum kreisen unsere Gedanken ständig um Ewald, und wir kriegen beinahe Streit? Was ist eigentlich Besonderes an ihm?«

Mit Verwunderung registriere ich eine noch nie so offen formulierte Ehrlichkeit in ihren Worten. Sie erwartet, daß auch ich die Karten auf den Tisch lege.

»Wahrscheinlich hat sich sehr viel Liebe in uns aufgestaut, die sich jetzt ein Ventil sucht«, sage ich und werde ein wenig rot. »Wir sind wohl in unseren Gefühlen auch nicht anders als fünfzehnjährige Mädchen. Im Zustand der Bedürftigkeit fliegt man auf nahezu jeden Mann, wenn er nur im richtigen Moment zur Tür hereinspaziert.«

»Er hat etwas Unverschämtes an sich«, sagt Anneliese auf einmal, »und das zieht Frauen magisch an!«

23

In Schwetzingen ist es Herbst geworden, und Annelieses Feriengäste standen gestern vor der Tür.

Wie eine Löwenmutter liegt sie morgens im Bett und läßt ihre Enkel um sich herumkrabbeln. Die Kinder ihrer jüngsten Tochter heißen Mira und Ruben und sind zugegebenermaßen entzückend. Ein wenig bitter denke ich an meine eigenen Enkel, die ich selten sehe. Kurz vor Weihnachten oder Geburtstagen schicken sie mir einen Wunschzettel, der mich regelmäßig verärgert. Genausogut könnten sie gleich Bargeld verlangen, denn ihre Angaben – inklusive Preisen – sind wie aus dem Katalog. Pflichtgemäß, aber ohne Freude, kaufe ich dann die angeforderten Fahrradhelme, Mini-Keyboards oder Joysticks.

Meine Großmutter hatte mich einmal mit einem selbstgestrickten Norwegerpullover überrascht, den ich lange und gern getragen habe. Warum gönnt man mir nicht, daß ich ähnlich liebevolle Gaben fabriziere? Vor ein paar Jahren hätte ich gern Christians alten Kaufmannsladen hergerichtet. Mit Wonne hätte ich die Wände frisch tapeziert, Marzipan-

früchte in die Regale gelegt, die Gläschen mit Bon-
bons gefüllt, kleine Tüten, einen Bleistiftstummel
und einen Rechenblock neben die Kasse gehängt.
Man begründete die Ablehnung mit Platzmangel.
Inzwischen sind beide Knaben fast zu alt für das
reizende Spiel; statt daß sie abwiegen, einwickeln,
Schokoladenmünzen zählen und in den Mund stop-
fen, hocken sie stundenlang vor ihren Computern
und empfinden bloß mitleidiges Desinteresse für
mich.

Was habe ich falsch gemacht? Anneliese scheint
eine natürliche Begabung zu haben, locker und lustig mit Kindern umzugehen, sie zwar gelegentlich
in ihre Grenzen zu verweisen, aber alles mit Humor
und Herzlichkeit; das ist mir nicht gelungen. Die
Beziehung zu meiner Schwiegertochter und den
Enkeln ist distanziert, was natürlich auch das Verhältnis zu Christian getrübt hat. Er besucht mich
am liebsten ohne Anhang und wenn es sich mit einer
Geschäftsreise verbinden läßt.

Wahrscheinlich empfindet Anneliese tiefes Glück
beim Körperkontakt mit kleinen Kindern. Selbst
ich wurde heute butterweich, als die vierjährige Mira
frühmorgens in mein Bett schlüpfte, um mir ein Bil-
derbuch zu zeigen. Es war ein wenig kühl im Raum,
denn ich schlafe stets bei offenem Fenster, und der
kleine, weiche Körper schmiegte sich warm und ver-

trauensvoll an mich. Nach dem ungewohnt zärt-
lichen Beginn des Tages blieb ich zum Frühstück
nicht auf meinem Zimmer, sondern gesellte mich zu
Anneliese und ihren Gästen, die fröhlich in ihren
Cornflakes herumpanschten.

Später erhielten die Kinder von ihrer Oma eine
Lektion in Botanik. Vor allem die Kermesbeere mit
ihren glänzenden rot-schwarzen Früchten hat es ihren Enkeln angetan. Sie haben aber längst begriffen,
daß nicht alles eßbar ist, was appetitlich aussieht.

»Bei der *Phytolacca americana* ist vor allem die
Wurzel giftig«, sagt Anneliese zu mir, »und daran
vergreift sich kaum je ein Kind.«

Mittlerweile sind wir auf dem Spielplatz angekommen und überlegen einmal mehr, warum Ewald sich
nicht wieder meldet.

Trotz unseres intensiven Gesprächs behält Anneliese die Kinder im Auge und verbietet mit durch-
dringender Stimme, die Rutschbahn zu benutzen.
Durch den andauernden Regen hat sich nämlich ein
bräunlicher See in der Kuhle des Landeplatzes ge-
bildet.

»Und außerdem«, sage ich traurig, »ruft er ja
immer nur dich an.«

»Weil du ihm deine Handynummer nicht gegeben
hast«, meint Anneliese. Doch inzwischen sind wir

längst wieder über das Telefon erreichbar. Warum rufen wir nicht unsererseits bei ihm an, überlege ich, aber ein schwer zu erklärender Stolz hält uns beide davon ab.

»Er wird mich noch kennenlernen, dieser treulose Hund!« droht Anneliese rachsüchtig.

Nahe bei uns sitzt eine gestandene Mutter von drei Kindern und hört aufmerksam zu.

»Richtich! Wenn der haamkimmt, kann er was erlewe!« pflichtet sie Anneliese bei. »Mein aaler Saufkobb kam wider emol stechgranadevoll angekroche un het gedenkt, des mächt nichts. Soll er doch irchendwo annerster schlofe, hab ich gsagt, un ihn rausgeschmisse! Un sein Schnaps hab ich zur Straf gleich selwer ausgetrunke!«

Ich wechsle einen Blick mit Anneliese, die aber völlig ungerührt antwortet: »Saache Se mal, mei liebi Fraa, hawe Se do die Gleischbereschtigung net iwerdriwe?«

Unterdessen ist Ruben doch noch in der Pfütze gelandet, und wir müssen zum Umziehen nach Hause gehen; Mira plärrt, weil sie noch bleiben möchte. Mit zwei Heulbojen im Schlepptau steigen wir ins Auto.

Nach kurzer Fahrt erspähen wir schon von weitem, daß ein Wagen vor unserem Haus parkt. Beim Näherkommen erkennen wir auch den Besucher: Mit zwei Blumensträußen in der Hand steht Ewald vor der Tür. Auf dem Rücksitz seines Autos türmen sich Koffer. Mir klopft das Herz bis zum Hals vor Glück.

Noch bevor wir aussteigen, flüstert Anneliese: »Laß ihn auflaufen!«

Ohne Ewald eines Blickes zu würdigen, helfen wir zuerst den Kindern aus dem Fond.

»Halli, hallo! Ich bin's!« ruft Ewald munter und wedelt mit den Blumen.

»Guten Tag!« sage ich steif und verlegen.

Anneliese reicht ihm flüchtig zwei Finger und erklärt, erst einmal ihren durchnäßten Enkel versorgen zu müssen.

Gemeinsam betreten wir zwar das Haus, aber Anneliese und ich tun beschäftigt und lassen Ewald im Flur stehen. Dabei fechte ich einen innerlichen Kampf aus, ob ich Anneliese oder meinen Gefühlen folgen soll.

»Komme ich ungelegen?« ruft er in die Küche herein, wo ich die Spülmaschine ausräume, als wäre das die dringlichste Aufgabe der Welt. »Wer sind die reizenden Kleinen?«

Natürlich kann er sich denken, daß es Annelieses Enkelkinder sein müssen, aber der alte Charmeur will gut Wetter machen.

Ich höre, wie Mira sofort schwach wird: »Hast du Kinder?« fragt sie.

Man muß es Ewald lassen, daß er geschickt auf die Kleine eingeht und sie schnell in ein Gespräch verwickelt. Wie nett er doch mit dem Kind plaudert, denke ich entzückt, als Mira plötzlich so gellend aufschreit, daß mir die Elsässer Backform aus der Hand fällt. Gleichzeitig mit mir ist Anneliese zur Stelle. So schnell wie jetzt ist sie noch nie die Treppe heruntergesaust.

»Ein böser Onkel!« jault Mira.

Ohne auch nur eine Sekunde zu fackeln, schlägt Anneliese ihrem Tanzstundenherrn ins Gesicht und brüllt: »Du Schwein! Raus hier! Und laß dich nie wieder bei uns blicken!«

Ewald steht völlig verdattert an der Türschwelle.

»Aber ich hab ihr doch gar nichts getan!« beteuert er. Immer noch liegt ein Bonbon in seiner offen ausgestreckten Hand, und allmählich begreife ich das große Mißverständnis. Es gelingt mir, Anneliese etwas zu beruhigen.

Als wir alle um den Küchentisch herumsitzen, Anneliese mit Mira, ich mit Ruben auf dem Schoß, klärt sich das Ganze auf. Im Kindergarten hat Mira gelernt, sofort laut zu schreien, wenn ihr ein fremder Mann Süßigkeiten anbietet.

Natürlich ist es Anneliese jetzt peinlich, daß sie zugeschlagen hat, sie entschuldigt sich und lädt Ewald zum Mittagessen ein. »Es gibt allerdings nur *Arme Ritter*«, sagt sie, »das bekommen meine Lieblinge immer, wenn sie bei der Oma sind!« Mit keinem Wort fordert sie ihn allerdings auf, die Koffer ins Haus zu holen; irgendwann falle ich ihr jedoch in den Rücken.

»Du könntest schon mal deine Sachen hereintragen«, sage ich unschuldig, »wir brauchen noch etwas Zeit zum Kochen!«

»Kann ich euch helfen?« fragt er. »Zum Beispiel Äpfel schälen?«

»Selbst Lore macht das besser als du«, sagt Anneliese, »aber du könntest den Rasen mähen, bevor es wieder regnet.«

Nun entwickeln alle eine emsige Tätigkeit. Anneliese entrindet altbackene Weißbrotscheiben, Mira und Ruben dürfen je ein Ei aufschlagen und mit Milch und Vanillezucker verkleppern, ich bereite Apfelkompott, draußen summt der Rasenmäher. Als zwölf Arme Ritter in der Eiermilch gewälzt, in Butterschmalz gebraten und mit Zucker und Zimt bestreut sind, lassen wir uns hochzufrieden das klassische Kinderessen schmecken. In der Küche duftet es nach dem geschnittenen Gras an Ewalds Schuhsohlen, nach karamellisierten Äpfeln und

Rubens Kleidungsstücken, die auf der Heizung trocknen; es ist ein wohliger Geruch von Heimat und Geborgenheit.

»Bei meiner Mutter gab es Arme Ritter mit Weinschaumsoße«, sagt Ewald wehmütig, doch als er Annelieses strenge Miene sieht, fügt er rasch hinzu: »Mit Apfelschnitzen schmecken sie aber viel besser!«

Es ist eine trügerische Idylle, denke ich, wir führen gerade das Stück *Vater, Mutter, Kind* auf. Aber bei zwei Müttern ist eine zuviel im Spiel. Und überdies gefällt es weder Anneliese noch mir, das ewige Bedürfnis eines Mannes nach Bemutterung zu erfüllen – auch alte Frauen gehen nicht immer in dieser Rolle auf.

Mira hat bisher kein Wort gesagt, sondern die ganze Zeit fasziniert den bösen Onkel angestarrt. Ewalds Jacke hängt über einer Stuhllehne; unbemerkt vom Besitzer und ganz in Gedanken dreht sie so lange an einem Hirschhornknopf, bis sie ihn verwundert in den Fingern hält. Auf einmal meldet sie sich mit dünnem Stimmchen: »Bist du der Mann von Tante Lore?«

Wir Erwachsenen lächeln ein wenig. Ewald steht auf.

»Nein, ich bin ein Freund von deiner Oma und

Tante Lore. Und jetzt werde ich euch verlassen und mir ein Hotel suchen. Die Mansarden sind ja durch liebe kleine Gäste besetzt.«

Ruben, der gerade Zuckerreste mit dem Zeigefinger auftupft, protestiert sofort. Annelieses Enkel geht seit kurzem in die Schule und lispelt mächtig, seit ihm mehrere Milchzähne fehlen. »Wir schlafen doch bei der Oma im Zimmer! Auf zwei Matratzen!«

Bei seinen letzten beiden Worten müssen wir unwillkürlich wieder lächeln, und Anneliese wird angesichts ihrer niedlichen Enkelkinder milde.

»Beide Mansarden stehen leer, von mir aus kannst du ruhig ein Weilchen hier unterkommen.«

Ewald setzt sich wieder hin.

»Kinder«, sagt er feierlich, »eigentlich müßten wir mit Champagner anstoßen! Es hat sich endlich ein Käufer für mein Haus gefunden. Das ist der wahre Grund, warum ich so lange nichts von mir hören ließ – ich wollte euch mit vollendeten Tatsachen überraschen.«

Anneliese und ich hören sehr aufmerksam zu, sagen aber nichts. Will er für immer bei uns bleiben? Wenn ich mich recht erinnere, war ursprünglich nur von vorübergehendem Asyl und zwischengelagerten Möbeln die Rede. Oder hat Anneliese schon den Ausbau mit ihm besprochen?

Sekundenlang bilde ich mir ein, daß er aus Liebe zu mir gekommen ist. Um Anneliese nicht zu verletzen, wird er sicher nicht gleich mit der Tür ins Haus fallen. Außerdem habe ich ihm bisher nie zu verstehen gegeben, daß meine Arme weit geöffnet für ihn sind.

Nach dem Essen werde ich todmüde und verlasse die Runde. Anneliese möchte wohl ebensogern eine Siesta halten, aber den Kleinen zuliebe holt sie das Memory-Spiel, an dem sich Ewald beteiligen will. Ohne ein Auge zu schließen, liege ich auf dem Sofa und überlege, wie ich Ewald meine Zuneigung am geschicktesten signalisieren könnte.

Am späten Nachmittag habe ich bereits eine Chance: Ohne Anneliese und die Kinder wandern wir durch den Park. Heute achte ich nicht auf Blumen, Bäume oder raffinierte Durchblicke, sondern nur auf Ewalds Verhalten. Macht er vorsichtige Andeutungen, die es zu entschlüsseln und aufzugreifen gilt?

Er benimmt sich wie stets – freundlich, charmant, unverbindlich.

»Die filigrane Silhouette der Moschee«, sagt er und deutet auf Kuppel und Türme im späten Tageslicht, »erinnert mich an eine Reise nach Istanbul. Wir waren jung und ...«

Wahrscheinlich ist es an mir, den Anfang zu machen.

»Ich muß immer an unseren gemeinsamen Flug denken«, sage ich. »Wir waren zwar nicht jung, aber für mich war es ein vollkommen einmaliges und wunderschönes Erlebnis.«

»Wer sagt denn, daß es einmalig bleiben muß?« fragt Ewald lächelnd und reicht mir die Hand, um mir über einen abgebrochenen Ast zu helfen.

»Wir können es uns doch beide leisten, gelegentlich einmal abzuheben!«

»Ganz allein würde es mir keinen Spaß machen«, erwidere ich, und er versichert sofort, daß er jederzeit für ein kleines Abenteuer zu haben sei.

Ein kleines Abenteuer? So richtig will er nicht anbeißen, oder meint er gar, ich würde ihm doch nur einen Korb geben? Trotzdem traue ich mich nicht, deutlicher zu werden. Wenn ich eine Abfuhr von ihm bekäme, wäre es mehr als peinlich. Also rette ich mich in belangloses Geplauder.

»Es wird schon viel früher dunkel, und heute nachmittag ist es richtig kühl; Anneliese hat seit einer Woche die Heizung angestellt. Eigentlich ist der Herbst meine liebste Jahreszeit.«

»Meine auch«, sagt Ewald, »jedenfalls bei gutem Wetter. Seltsam, daß wir noch vor ein paar Wochen in der Nordsee gebadet haben!«

Soll das eine erotische Anspielung sein oder ist das nicht eher eine peinliche Erinnerung? Ich sollte vielleicht auf die komische Seite hinweisen, aber natürlich ohne Ewalds Rolle ins Lächerliche zu ziehen. Anneliese hätte sicher die richtigen Worte gefunden, mir fällt leider nichts ein.

Zu allem Überfluß kommt jetzt die Rede auf die Enkelkinder. Ewald betont noch einmal, wie sehr er sich auf Yolas Kind freue. »Für die eigenen Kinder hatte ich – wie fast alle Väter – viel zuwenig Zeit, aber als Opa werde ich mich gewaltig ins Zeug legen. Ob du es glaubst oder nicht, neulich habe ich eine geschlagene Stunde in einem Spielzeugladen verbracht.«

Ein Thema, das mir nicht entgegenkommt. Nach dem Abendessen werde ich mich in mein Zimmer verziehen und lesen. Sollen die leidenschaftlichen Großeltern doch stundenlang auf den Kindermatratzen kauern und Gute-Nacht-Geschichten erzählen.

Gegen neun höre ich Ewalds Auto davonfahren. Damit ich nicht gar so neugierig wirke, lasse ich zehn Minuten verstreichen, bevor ich zu Anneliese hinuntergehe.

»Schlafen die Kleinen schon?« frage ich wie eine besorgte Tante.

»Zum Glück«, sagt Anneliese, »aber Ewald hat

mal wieder nicht verraten, wohin er unterwegs ist. Kannst du dir vorstellen, daß man eine berufstätige, schwangere Tochter um diese Zeit noch besuchen will? Es wäre nach zehn Uhr, bis er an Ort und Stelle ist!«

»Hat er sich umgezogen?« frage ich.

»Allerdings«, sagt sie, »und wenn du meine Meinung hören willst, dann hat er diesmal wirklich eine Mätresse!«

24

Es gibt wenig Menschen, die wirklich bescheiden sind. Ich kenne zwar Leute, die sich nichts aus Statussymbolen machen, aber doch auf irgendeine andere Weise auffallen, ja glänzen möchten. Privilegiert sind natürlich jene, die durch Geistesgaben, Witz und Charme hervorstechen; die meisten erreichen Lob und Bewunderung jedoch durch berufliche Erfolge.

Anneliese hat ihre Kreativität bei der Gestaltung ihres zauberhaften Gartens und in kulinarischen Finessen zur Entfaltung gebracht, während sie schicker Kleidung und einer guten Figur lange Jahre keine Bedeutung beimaß. Vielleicht tut es ihr jetzt leid.

Seit zwei Wochen führen wir probeweise ein merkwürdiges Leben zu dritt, eine Alten-WG, in der sich keiner in die Karten gucken läßt. Alle drei geben wir unsere Abnutzungserscheinungen nicht zu. Jeder hat etwas zu verbergen, Ewald allen voran. Immer wieder haut er einfach ab, um angeblich mit seinem Schwiegersohn Schach zu spielen, für seine Tochter ein Babybett zu transportieren, meistens aber ohne Begründung. Ob er heimlich ein Fitness- oder Sonnenstudio aufsucht? Einerseits genießen wir seine Gegenwart und die munteren Gespräche bei Tisch, doch gleichzeitig ist Ewald ein störendes Element in unserer Frauengemeinschaft.

In einem unförmigen Karton brachte er *praktische Präsente* mit, wenn man Haushaltsgegenstände so bezeichnen soll, die Ewalds Kinder auf keinen Fall geschenkt haben wollten. So füllt jetzt der dritte rostige Gurkenhobel, die dritte Salatschleuder und die dritte Knoblauchpresse den Küchenschrank, ein dritter Flusenentferner liegt vor dem Flurspiegel, und im Keller stolpert man über einen dritten sperrigen Schuhputzkasten. Besonders stolz war er auf eine Nähmaschine, eine echte Singer Automatic, wie er betonte; in den sechziger Jahren war sie das Nonplusultra. Wenn mein Sohn das nächste Mal zu Besuch kommt, wird er die Hände über dem Kopf zusammenschlagen. Niemand weiß genau, ob Ewald demnächst auch noch seine Möbel in Annelieses Haus quetschen will.

Zu Annelieses Mißfallen gehe ich täglich mit Ewald spazieren, aber ich weiß nicht recht, ob diese kleine Freude die vielen Ärgernisse aufwiegt. Der große Nachteil ist eine diffuse Spannung, die zwischen uns dreien herrscht. Anneliese und ich wetteifern um Ewalds Gunst, beäugen uns gegenseitig mit Mißtrauen, registrieren übergenau, was die andere anzieht, welches Parfum sie benutzt, ob sie Kritik oder Beifall des hohen Herrn erhält. Selbst bei Anneliese ist Schluß mit fleckigen Bademänteln und ausgelatschten Pantoffeln.

Mira und Ruben wurden vor zwei Tagen von ihren Eltern abgeholt, und selbst ich vermisse ihre kindliche Drolligkeit und unsere gemeinsamen Momente der Rührung. So lange die Kleinen bei ihrer Großmutter im Zimmer schliefen, mußte ich nicht befürchten, daß sich nächtens ein weiterer Gast zu ihr gesellte. Ohne die Kinder sind wir jetzt ganz auf uns gestellt und können nicht mehr Opa und Omas oder Vater, Mütter, Kind spielen.

Leider verschwindet Ewald nicht nur abends, sondern auch tagsüber und meldet sich nur ab, wenn es um gemeinsame Mahlzeiten geht. Jeden Dienstag und Freitag verläßt er uns nach dem Frühstück.

»Am liebsten würde ich einen Detektiv beauftragen«, sagt Anneliese, »denn irgend etwas stimmt nicht mit ihm. Hast du nicht auch das Gefühl, daß wir vor Verliebtheit langsam erblinden?«

Ich fahre zusammen, denn sie hat ausgesprochen, was ich nicht zu denken wage.

»Sollen wir ihn mal in die Zange nehmen?« frage

ich. »Wir schleichen wie die Katzen um den heißen Brei, und er führt uns mit Vergnügen an der Nase herum. Es wäre höchste Zeit, ihm auf die Schliche zu kommen.«

Ewald ist nicht zu Hause, als uns die Studenten besuchen. Sie haben ein Sträußchen rosa Astern und Urlaubsfotos mitgebracht. Anscheinend legen sie großen Wert darauf, unsere geschäftlichen Beziehungen weiterhin zu pflegen.

Ricarda spricht ihre Wünsche offen aus. »Wann plant ihr eure nächste Reise?« fragt sie. »Es wäre nämlich wichtig, daß ihr die Semesterferien berücksichtigt!«

»Unter Umständen hätten wir einen kleinen Auftrag für euch«, sagt Anneliese, »und zwar sofort! Man braucht dafür allerdings ein Auto.«

»Wenn es wichtig ist, können wir den Nissan von Rikkis Eltern leihen«, meint Moritz.

»Würdet ihr euch zutrauen, Ewald unbemerkt zu observieren?« frage ich.

Den beiden bleibt sekundenlang die Spucke weg.

»Ich denke, Ewald ist euer Freund?« fragt Rikki unsicher.

»Im Prinzip schon«, antworte ich, »aber er sagt uns in einigen Punkten nicht die Wahrheit. Bevor wir uns dazu entschließen, ihn endgültig in unsere wg aufzunehmen, muß Klarheit herrschen. Vielleicht ist alles ganz harmlos, um so besser. Vorerst hättet ihr die Aufgabe, ihm das eine oder andere Mal unauffällig hinterherzufahren.«

Moritz und Ricarda sind schon gewonnen. Und da sich der Auftrag vorläufig auf den Abend beschränkt, brauchen sie keine Vorlesungen zu schwänzen.

»Ist er bewaffnet?« fragt Moritz.

Die praktische Ricarda hat andere Bedenken.

»Wir können doch nicht unentwegt vor eurer Haustür herumlungern, bis sich Ewald irgendwann mal auf die Läufe macht!«

»Wenn er das nächste Mal nicht mit zu Abend essen will«, erkläre ich ihr, »rufen wir sofort bei euch an. Meistens dauert es noch eine Stunde, bis er tatsächlich startet. In dieser Zeit könnt ihr dreimal hier sein und ihn von Schwetzingen aus verfolgen. Ein Handy habt ihr ja beide, so daß wir euch exakt sagen können, wann er die Haustür hinter sich zuzieht.«

Wir verabreden, daß sie sich morgen den Wagen von Ricardas Mutter leihen und fortan das Handy eingeschaltet lassen.

Längst sind wir wieder allein und diskutieren immer noch, ob es eine gute Entscheidung war. Im Grunde finde ich es verabscheuungswürdig, einen Freund zu bespitzeln. Aber ist es nicht auch eine Unverschämtheit, daß Ewald uns nicht freiwillig über jeden seiner Schritte informiert? Wir tun es doch auch! Noch nie bin ich zum Frisör oder in den Park gegangen, ohne es Anneliese wissen zu lassen.

Zwei Tage später ist es soweit. Ewald deutet schon am Nachmittag an, daß er nicht mit uns zu Abend essen wird. Die Studenten sind informiert und warten an der Einmündung unserer Straße in dem japanischen Kleinwagen. Kurz vor acht will Ewald in blauem Hemd, grauer Hose und marineblauem Blazer das Haus verlassen.

»Wo gehst du denn hin?« fragt Anneliese, um ihm ein letztes Mal die Chance zur Aufrichtigkeit zu geben.

»Sei nicht so neugierig«, antwortet Ewald grinsend. »Jeder Mann hat ein süßes Geheimnis!«

Das reicht. Wir rufen sofort unsere Detektive an. Eifrig bestätigen sie, daß sie startbereit sind und uns von nun an in regelmäßigen Abständen benachrichtigen werden.

Jetzt sitzen wir vor dem Telefon und lauern. Natürlich sind wir ziemlich aufgeregt, denn wir kommen uns vor wie zwei Generäle im Befehlsbunker. Was wird das alles nach sich ziehen? Frieden, Waffenstillstand oder Krieg?

Ewald habe Heidelberg erreicht, erfahren wir

schließlich, er steuere ein Parkhaus am Kornmarkt an. Ob sie ihm zu Fuß auf den Fersen bleiben sollen?

»Ja!« brüllen wir in den Hörer. Dann bleibt es eine Zeitlang ruhig.

»Verfolgen jetzt das bewußte Objekt durch die Hauptstraße! Aber schon entert es das Hotel zum Ritter!« rapportiert Ricarda. »Zum Glück sind viele Leute unterwegs, er hat uns sicher nicht bemerkt.«

Und wenn schon, sage ich, schließlich studieren Moritz und Ricarda in Heidelberg, in einer kleinen Stadt kann man sich rein zufällig über den Weg laufen.

»Er hat anscheinend einen Tisch reservieren lassen«, berichtet Moritz, »es ist für zwei Personen gedeckt. Sollen wir etwa auch dort essen? Ein Eckplatz scheint frei zu sein, aber preislich ist die Ritterstube nicht unsere Kragenweite.«

»Sammelt fleißig Quittungen«, empfehle ich, »Benzin, Tiefgarage, Speisen und Getränke dürft ihr als Spesen abrechnen.«

Anneliese muß lachen, weil unsere Studenten jetzt schon wieder zu einem Schlemmermenü kommen.

»Er liest die Speisekarte«, sagt Ricarda, »aber er ist noch solo. Erwartet ihr eigentlich einen Killer mit Cellokasten oder eher eine blonde Sirene?« Bevor wir antworten können, hören wir Näheres über die Unbekannte. »Alles noch ein Zacken schärfer! Es ist eine Farbige!«

Aha, sagt Anneliese. Ob man ihr schon etwas ansehe? Ricarda reagiert verständnislos. Nun, ob die Frau ein Kind erwarte, frage ich ungeduldig.

»Nee«, meint Moritz.

»Dafür dürfte sie zu alt sein!« sagt Ricarda und schaltet aus.

Wir runzeln die Stirn und sind nicht amüsiert. Die Erfahrung unserer Agenten beschränkt sich wohl auf trächtige Haustiere. Yola ist zwar nicht mehr jung, aber keineswegs zu alt zum Kinderkriegen.

»Mit Zwanzig hält man eine Vierzigjährige für eine Greisin«, meint Anneliese. »Ich will gar nicht erst darüber nachdenken, welche Bezeichnung man für uns verwendet.«

»Wir haben nur ein einziges Foto von Yola gesehen«, sage ich. »Sie sah eigentlich ziemlich gut erhalten aus, aber vielleicht war es kein aktuelles Bild.«

»Kannst du nachvollziehen, daß man sich mit seiner Tochter verabredet und ein solches Geheimnis daraus macht?« fragt Anneliese.

Es klingelt wieder. »Wollt ihr wissen, was man ihnen gerade serviert?« fragt Moritz. »Soweit ich von hier aus erkennen kann, ist es die Nummer eins auf der Speisekarte, nämlich ein badisches Grünkernsüppchen.«

»Die Frau drückt jetzt ihre Zigarette aus«, sagt Ricarda, »ich schätze mal, sie ist etwas jünger als ihr.«

»Wieviel?«

»Ach, das kann man bei dunkler Haut nicht so genau sagen«, meint sie. »Ist es okay, wenn wir uns eine Odenwälder Wildrahmsuppe mit Waldpilzen bestellen?«

»Eßt, was ihr wollt«, sage ich, »aus welchem Land könnte die Unbekannte denn stammen?«

»Schwer zu erraten, vielleicht Südamerika.«

Die Frau stehe gerade auf, um zur Toilette zu gehen – schlank wie eine Tanne, aber mit einer leichten Gehbehinderung.

»So ähnlich lahmte mein Opa, nachdem er ein künstliches Hüftgelenk bekommen hatte!«

Plötzlich fällt bei mir der Groschen. Ich hänge ein, um Anneliese aufzuklären.

25

Anneliese hat kräftige Finger. Ihre Hände können Blumen pflanzen, kleine Kinder herzen, Gemüse putzen und das Chaos der Welt wieder in Ordnung bringen. »Ich bring ihn um«, sagt sie und haut bei jedem Wort auf die gestickten Mistelzweige der Tischdecke.

»Aber Anneliese! Bei Hardy habe ich es ja noch irgendwie verstanden«, sage ich, »er wurde mit der Zeit unerträglich. Aber Ewald ist weder mit dir verheiratet noch dein Lover, du könntest ihn einfach rausschmeißen, und die Sache wäre erledigt.«

»Er betrügt uns alle beide«, sagt Anneliese, »und das haben wir nicht verdient! Wir füttern ihn durch, aber er läßt uns am langen Arm verhungern! So nicht, mein lieber Ewald! Wie eine Primel ohne Wasser werde ich dich eingehen lassen!«

»Pst«, sage ich, »ich höre ein Auto. Ewald kommt nach Hause!«

Es ist erst halb elf, anscheinend ist unser Freund nicht versackt, sondern gleich nach dem Essen aufgebrochen. Anneliese und ich sind uns einig, daß jetzt die richtige Zeit für ein Verhör ist.

Ewald tritt in den Flur und wird von uns ins Wohnzimmer gerufen.

»Ihr seid noch auf? Was gibt's?« fragt er mit einer Miene, als könne er kein Wässerlein trüben. Von Schuldbewußtsein keine Spur.

»Wo warst du?« frage ich scharf.

»Mein Gott, geht das schon wieder los! Ich bin doch kein Schuljunge«, sagt Ewald. »Bernadette hat mich jahrelang mit ihrer Eifersucht gequält, aber ihr seid keinen Deut besser als sie!«

Es tut mir trotz allem weh, daß er so ungehalten wirkt und den Raum grußlos verlassen will; Anneliese verhindert seine Flucht durch einen schrillen Pfiff.

»Zufällig hat man dich im Heidelberger Ritter gesehen«, sagt sie. »Warum ist es nicht möglich, daß du uns offen und ehrlich von deinen Eskapaden berichtest? Schließlich wohnst du jetzt in meinem Haus, da habe ich wohl ein Recht darauf, Bescheid zu wissen!«

»So, hast du das?« sagt er belustigt, zieht sich aber doch einen Stuhl an den Tisch und setzt sich hin.

Wir starren ihn erwartungsvoll an. Ewald ist ein Meister gutinszenierter Pausen.

»Du hast einen Tomatenfleck auf der Bluse«, sagt er schließlich zu Anneliese. Dann kommt er endlich zur Sache. »Auf Yolas Hochzeit habe ich nach fast vierzig Jahren meine frühere Geliebte wiedergetroffen; ich hatte nie richtig begriffen, wie sehr ich Luiza damals verletzt habe. In ein paar Monaten kommt unser Enkelkind zur Welt, es wäre doch furchtbar, wenn wir uns bis dahin nicht ausgesöhnt hätten.«

»Und warum durften wir das nicht wissen?« frage ich.

»Weil es eigentlich nur Luiza und mich etwas angeht«, sagt er. »Es war Yolas Idee: Zweimal in der Woche haben wir einen Termin bei einer Psychotherapeutin. Und die Abende verbringen wir gelegentlich mit unserer Tochter und dem Schwiegersohn. Ich hätte euch das sowieso irgendwann gesagt, aber eine Therapie ist für einen alten Mann keine leichte Sache, und ich mag momentan nicht gern darüber sprechen. – Seid ihr nun endlich zufrieden? Darf ich jetzt untertänigst darum bitten, ins Bett gehen zu dürfen?«

Bevor wir etwas entgegnen können, erhebt er sich und verläßt den Raum.

Aus der Küche höre ich das Geräusch des zuschnappenden Kühlschranks. »Er nimmt sich noch ein Bier mit nach oben«, sage ich, »als ob er mit dem klotzigen Fernseher alles im voraus bezahlt hätte!«

Anneliese ist fast zorniger als ich. »Weißt du was«, sagt sie, »wenn du die Auserkorene wärest, könnte ich es irgendwie akzeptieren. Aber so ein hergelaufenes Negerweib, das kann ich nicht ertragen!«

Rassismus kann wiederum ich nicht ertragen.

»Zügle bitte deine Zunge«, sage ich. »Wir wissen im übrigen gar nicht genau, ob die beiden ihre uralte Liaison wiederaufleben lassen.«

»Wie naiv bist du eigentlich! Da kenne ich den alten Schwerenöter aber besser!«

Es sieht fast so aus, als würden wir uns in die Haare kriegen. Anneliese ist diesmal die Klügere, steht auf und wünscht mir eine gute Nacht; sie hat Tränen in den Augen. Obwohl ich sehr müde bin, bleibe ich sitzen und denke nach.

Anneliese wünscht ihrem Jugendfreund den Tod. Meine liebste Freundin ist eine Konkurrentin für mich, doch ihr habe ich trotzdem nie die Pest an den Hals gewünscht. Ich hocke immer noch in ihrem Wohnzimmer. Woran mag es liegen, daß dieser plüschige Raum viel gemütlicher wirkt als mein Salon mit den hellen Biedermeiermöbeln? Auch Ewald hängt oft und gern in Hardys abgewetztem Ohrensessel herum, während er fast nie bei mir anklopft.

Ewald gehört nicht zu jenen, die viel über ihre Gefühle oder ihr Privatleben verraten, aber gerade das ist auch mir nicht fremd. Wenn Anneliese ihn als Schwerenöter bezeichnet, dann liegt sie falsch. Er hat sich zwar in jungen Jahren bestimmt die Hörner abgestoßen, aber uns gegenüber verhält er sich nicht anbiedernd oder plump vertraulich, mir gegenüber fast allzu korrekt. Auf keinen Fall werde ich es zulassen, daß ihm ein Härchen gekrümmt wird. Mit diesem Vorsatz begebe ich mich zu später Stunde ins Bett.

Beim Frühstück sagen wir alle drei wie aus einem Mund: »Heute nacht habe ich mir überlegt...« und müssen lachen.

Ewald und ich verstummen, Anneliese hat als Betthupferl anscheinend Kreide gefressen und fährt fort: »...daß es nicht in Ordnung war, dich gestern so aufdringlich auszuhorchen. Wäre es nicht für uns alle das beste, wenn wir deine neue Familie kennenlernten? Ich möchte Luiza, Yola und deinen Schwiegersohn gern zum Tee einladen!«

Ewald lächelt, auch er ist versöhnlich gestimmt. »Seltsam, auf dieselbe Idee bin ich auch gekommen. Wir sollten uns einmal alle zum Abendessen bei Yola treffen!«

Weder Anneliese noch ich widersprechen. Natürlich ist es hochinteressant, nicht nur Luiza und Yola zu begutachten, sondern auch ihr Heim und ihre Kochkünste zu testen.

»Wann?« frage ich.

»Nun, über den Kopf meiner Tochter hinweg kann ich das nicht bestimmen«, sagt Ewald, »aber ich nehme an, daß es ihr am Wochenende am besten paßt.«

Anneliese hat den Tisch hübscher gedeckt als sonst. Vor ihrer Tasse liegt das Herz aus Rosenquarz, das Ewald ihr geschenkt hat. Sie selbst trinkt heute ausnahmsweise Tee. Die leuchtendgelbe Schale einer Zitrone wickelt sich spiralförmig von einer halben Frucht herunter und gibt das hellere Fleisch und die weißliche Innenhaut frei. Jede Zitronenscheibe ähnelt einem zierlichen Rad, das sich aus vielen kleinen Segmenten zusammensetzt. Die knusprigen hellbraunen Brötchen, das klobige Stück Gouda, das von Ewald lustvoll zersäbelt und in winzigen Bröckchen verspeist wird – alles erinnert mich in seiner prächtigen Stofflichkeit an ein barockes Stilleben. Mir ist sonntäglich zumute. Als hätte ich diese Szene schon oft erlebt und gleichzeitig so, als wäre alles ein Traum.

»Wird Luiza bald nach Brasilien zurückkehren?« fragt Anneliese.

»Das weiß sie noch nicht«, sagt Ewald, »auf jeden Fall möchte sie bis zur Geburt ihres ersten Enkelkindes in Heidelberg bleiben.«

Halb in Trance plappere ich heraus, was mir gerade durch den Kopf geht: »Willst du sie heiraten?« Kaum habe ich den verhängnisvollen Satz ausgesprochen, werde ich auch schon über und über rot.

Anneliese starrt mich voller Bewunderung an, Ewald lacht.

»Eins kann ich euch versprechen: Wenn ich irgend etwas bestimmt nicht anstrebe, dann eine neue Abhängigkeit.« Er schüttelt sich. »Einmal und nie wieder!« sagt er. Und in Annelieses Richtung: »Ist dir nicht gut? Du trinkst doch morgens immer Kaffee?«

»Es ist eine neue Teesorte, die ich ausprobieren wollte«, antwortet sie, »der Roybush schmeckt köstlich, aber leider habe ich den letzten Tropfen gerade ausgetrunken. Soll ich dir noch rasch eine Tasse aufbrühen?«

Ich erstarre vor Schreck, aber Ewald schüttelt zum Glück den Kopf.

»Ich bin so froh, daß es bei euch einen anständigen Kaffee gibt! Bernadette hat mich jahrelang mit ihren gräßlichen Kräutermischungen traktiert; auch wenn deiner viel besser sein mag, für mich bitte nie wieder Tee.«

Pech gehabt, liebe Anneliese, denke ich und schenke meiner Freundin einen geheuchelten Blick des Bedauerns.

»Nicht nur euer Kaffee ist Spitze«, fährt Ewald fort, »Anneliese hat mir schon viele leckere Gerichte vorgesetzt, die ich fast vergessen hatte. Zum Beispiel Hasenpfeffer, Hackbraten, Grießsuppe, Karamelpudding oder Zitronencreme. Nicht zu vergessen die wunderbaren Armen Ritter!«

Das geht Anneliese natürlich glatt hinunter. Gedankenverloren schmiert sie einen weiteren Toast mit sanft zerlaufender Butter und Holundergelee. Dann erzählt sie von ihrem heutigen Traum, um noch mehr Ehre einzulegen. Sie habe ein Frauenauto erfunden, in dem das leidige Rückwärtsfahren kein Problem mehr sei.

»Heutzutage haben ja viele Züge an jedem Ende eine Fahrerkabine, so daß sie in einem Kopfbahnhof zum Wenden nicht gezogen werden müssen. In meinem Traum habe ich nach diesem Prinzip ein Auto konstruiert, das nicht nur vorn, sondern auch hinten ein Steuer, Gaspedal, Bremse und Kupplung hat.«

Der Maschinenbau-Ingenieur hört aufmerksam zu, das Frauenauto scheint ihn zu begeistern.

»Tolle Idee! Und absolut machbar! In den fünfziger Jahren entwickelte Zündapp einen Wagen namens Janus, da gab es vorn und hinten einen Einstieg, und die Passagiere saßen Rücken an Rücken.« Nach einigem Überlegen fällt ihm noch mehr ein: »Der Janus hatte einen gebläsegekühlten Einzylinder-Zweitaktmotor und…«

Anneliese gähnt. Genau solche Details sind es, die wir an den Berufen der meisten Männer so langweilig finden. Aber andererseits ist es nett, daß Ewald gar nicht erst auf die Idee kommt, Witze über rückwärtsfahrende Frauen zu machen. Sowohl Udo als auch Hardy hätten es sich nicht verkneifen können.

Der Gentleman steht auf.

»Um euch nicht allzulange auf die Folter zu spannen, werde ich jetzt bei Yola anrufen. Wenn ich Glück habe, kann ich sie im Stationszimmer erwischen, denn die Visite sollte um diese Zeit vorbei sein.«

Anneliese beginnt den Tisch abzuräumen, denn es wird fast schon Zeit, sich um das Mittagessen zu kümmern.

»Weißt du noch, wie man Spanisch Fricco zubereitet?« fragt sie mich, da kommt Ewald schon wieder die Treppe herunter.

»Alles vorzüglich!« ruft er. »Morgen abend essen wir bei Yola, da braucht ihr mittags nur eine Kleinigkeit zu kochen.« Er scheint mächtig stolz zu sein, für Annelieses Entlastung gesorgt zu haben.

26

Wahrscheinlich werde er morgen mit Andreas, seinem Schwiegersohn, eine Partie Schach spielen, sagt Ewald, wenn vier Frauen an einem Tisch säßen, käme er sowieso nicht zu Wort. Anneliese behauptet, Ewald sei der geborene Komparse für einen Stummfilm, und er grinst. Das habe Luiza neulich auch gesagt, meint er, offensichtlich hätten seine alten Freundinnen seine Anekdoten besser im Kopf als er selbst.

Dann weiht Ewald auch mich ein. Sein Vater habe eine Zeitlang als Beleuchter gearbeitet. Als er eines Tages hörte, daß ein neugeborenes Kind für eine kurze Filmszene gesucht wurde, machte er den Regisseur auf die eigene hochschwangere Frau aufmerksam. Noch bevor Ewald geboren wurde, hatte man ihm bereits eine Rolle als Statist zugedacht.

»Und wie hieß der Film?« frage ich.

Anneliese berichtet schadenfroh, daß Ewald das neugeborene Schneewittchen dargestellt habe.

»Weiß wie Schnee, rot wie Blut, schwarz wie Ebenholz!« sage ich. »Hattest du wenigstens eine gute Maskenbildnerin?«

Ewald fährt sich ordnend durch die schütteren Haare und meint, daß seine Mutter ihr Leben lang mit seinem Ruhm als Jungstar geprahlt habe. Er sei ein hinreißendes Schneewittchen gewesen, das aber leider nur sekundenlang ins Bild kam.

»Trotzdem –«, sagt er, »irgendwie habe ich schon früh Theaterluft geschnuppert, das hat Spuren hinterlassen!«

Wie sollen wir morgen auftreten? Anneliese hat sich ohne meinen Rat für ihren schlankmachenden Schornsteinfeger-Anzug entschieden. Zu diesem Outfit gehören natürlich Ohrgehänge, Armband, Ring und Brosche mit Smaragden, kurzum der gesamte Russenschmuck. Auch mir fällt die Entscheidung nicht schwer, denn in einem grauen Seidenkleid mit buntem Chiffontuch mache ich stets eine gute Figur. Mit den Schuhen haben wir beide ein Problem. Da wir uns nicht martern wollen, müssen wir in den sauren Apfel beißen und auf unsere treuen Mokassins mit Fußbett zurückgreifen. Im Grunde machen wir uns wegen Luiza und Yola Gedanken, erst in zweiter Linie wegen des Märchenprinzen. Und sein Schachpartner ist uns ziemlich egal.

Ewald hat gefragt, ob es uns recht sei, wenn wir schon um sechs nach Heidelberg führen. Trotz fortgeschrittener Schwangerschaft arbeite Yola noch ganztags und werde abends rasch müde.

Wir sollen also nicht zu lange bleiben, doch das wollen wir ohnedies nicht.

Als wir schließlich starten, duftet es in Ewalds Auto nach dreierlei Parfum. Wir sind alle ein wenig nervös. Meine Sorge ist, daß ich Ewalds und Luizas Beziehung schon auf den ersten Blick als harmlos einstufen und mich wieder einmal meiner Eifersucht schämen muß.

Ewald meint wiederum, uns schonend vorbereiten zu müssen. »Yola geht völlig in ihrem Beruf auf, sie ist deswegen keine so gute Köchin wie Anneliese«, sagt er. »Erwartet also keine kulinarischen Offenbarungen!«

Wir versichern eilig, daß es darauf doch am wenigsten ankomme, während es ein letztes Stückchen bergauf geht, bevor wir eine terrassenförmige Wohnanlage erreichen.

»Sie haben sich eines dieser noblen Apartments gekauft«, sagt Ewald, »zwar mit traumhaftem Blick auf den Neckar und das Schloß, aber für meine Begriffe nicht groß genug. Luiza schläft momentan im Kinderzimmer. Für mich ist schon gar kein Platz.«

Wir werden vom Hausherrn begrüßt, er trägt eine Schürze mit dem Werbelogo einer pharmazeutischen Firma. »Das Essen habe ich fast fertig«, sagt er, »aber die Damen sind noch nicht umgezogen.«

Er führt uns in ein helles Wohnzimmer, unübersehbar lehnen ein Paar Unterarm-Krücken an einem Stehpult. Die Schiebetüren zum Wintergarten stehen offen, und Anneliese wird von den dort untergebrachten Pflanzen angelockt. Auch wir treten vor die große Glasfront und bewundern die letzten rosa Streifen am Abendhimmel; gleich wird es völlig dunkel sein. Ein verspäteter Vogel fliegt mit trägem Flügelschlag den Berg herauf, um einen Schlafplatz in einem der großen Bäume zu suchen.

»Wunderschön habt ihr es hier«, sagt Ewald, obwohl Anneliese oder ich es eigentlich hätten sagen müssen.

Meine Augen gleiten über das Mobiliar. An den Wänden hängen moderne Graphiken, in den Regalen breiten sich allerhand Edel-Souvenirs aus fernen Ländern aus, am Boden liegt ein dunkelblauer chinesischer Seidenteppich. Drei schneeweiße Sofas werden schon bald ein unerwünschtes Muster von schmierigen kleinen Händen erhalten.

Ewalds Schwiegersohn zieht die Schürze aus, wirft sie auf eines der Sofas und holt Gläser für einen Begrüßungsdrink.

Im übrigen scheint Andreas ein stiller Mann zu sein, der seine Pflichten als Gastgeber ohne viel Aufheben versieht. Er schaut ein paarmal auf die Uhr und eilt dann plötzlich in die Küche, aus der es kräftig nach Knoblauch riecht. Ewald schenkt Anneliese, mir und sich selbst ein Glas Sherry ein, traut sich aber nicht, als erster mit dem Trinken anzufangen. Als endlich die Tür aufgeht und Yola eintritt, geht ein Leuchten über sein Gesicht.

Offenbar hat Yola Ewalds helle Augen geerbt, die in auffälligem Kontrast zu ihrem Teint stehen. Eine Haut wie Milchkaffee, denke ich, so sagt man doch dazu. Und auf jeden Fall eine attraktive und selbstbewußte Frau, die uns stolz ihren kugeligen Bauch entgegenstreckt. Das Goldkettchen stammt bestimmt aus Brasilien. Trotz ihrer Schwangerschaft trägt sie Stilettos, die sie aber nach wenigen Minuten abstreift und als Stolpersteine herumliegen läßt. Yolas Händedruck ist beinhart.

»Das also sind Papas Freundinnen«, stellt sie fest und mustert uns unerschrocken. »Er hat wohl gern mehrere Eisen im Feuer!«

Ewald grinst und protestiert: »Wie ihr seht, habe ich eine ziemlich freche Tochter in die Welt gesetzt! Vor nichts auf der Welt hat dieses Kind Respekt!«

»Das muß an deiner fehlenden Erziehung liegen«, kontert sie und schnuppert in Richtung Küche. »Wann ist denn endlich das Essen fertig? Gustav und ich haben einen Bärenhunger! Und wo steckt überhaupt Mama?«

»Wer ist Gustav?« fragt Anneliese, und Yola deutet auf ihren Bauch.

»Könnte mir mal jemand helfen?« ruft Andreas von nebenan, und erstaunlicherweise setzt sich Ewald in Bewegung. Kurz darauf erscheint er mit einem Tablett und beginnt etwas linkisch den Tisch zu dekken. Yola macht keinerlei Anstalten, sich an hausfraulichen Arbeiten zu beteiligen.

»Wo ist Mama?« fragt sie zum zweitenmal und geht schließlich auf die Suche, weil niemand antwortet.

Luizas Auftritt ist bemerkenswert. Mit einem solchen Temperament können wir einfach nicht mithalten, denke ich, ein Mann würde wahrscheinlich urteilen: Die hat Pfeffer im Hintern. Unseren Studenten ist zwar Luizas leichte Gehbehinderung aufgefallen, aber zunächst nehme ich nur das rasante Tempo wahr, in dem sie barfüßig hereinstürmt. Sie reicht uns ihre schmale, knochige Hand, trinkt sofort irgendein gefülltes Glas aus und amüsiert sich über Ewalds Bemühungen, gerollte Servietten in hohe Weingläser zu stecken.

»Wo hast du denn das gelernt?« fragt sie und tätschelt ihm den Rücken. »Etwa von deiner Frau? Ich lach mich kaputt!«

Dann legt sie je einen Arm um Anneliese und mich und sagt: »Habt ihr schon den Wintergarten gesehen? Und unsere wunderbaren Pflanzen?«

Sie scheint uns mit großer Selbstverständlichkeit zu duzen, was weder uns noch der jüngeren Generation in den Sinn gekommen wäre. Zum zweitenmal betreten wir also den Glaspalast, obwohl es inzwischen fast dunkel geworden ist. Luiza zündet viele Kerzen und eine Zigarette an.

»Hier fühle ich mich ein bißchen wie zu Hause«, sagt sie, »weil ich für ein paar tropische Gewächse gesorgt habe. Habt ihr schon einmal so eine stattliche Engelstrompete gesehen?«

Anneliese begutachtet wohlwollend die Konkurrenz, die an diesem geschützten Standort prächtig gedeiht. »Meine *Datura candida* muß leider im Keller überwintern«, sagt sie bedauernd und wendet sich den anderen Gewächsen zu.

»Der Korallenstrauch und die *Tibouchina* stammen ebenfalls aus Brasilien«, sagt Luiza. »Sieh mal, diese hier hat selbst im Herbst noch violettblaue Blüten, sie braucht aber viel Licht und Wärme. Auch die Bougainvillea kommt aus meiner Heimat, obwohl man hierzulande glaubt, sie wachse nur im Mittelmeerraum.«

Luiza spricht ein grammatikalisch perfektes Deutsch mit minimalem Akzent. Ihr Teint ist wesentlich dunkler als der ihrer Tochter und schimmert im Licht der Kerzen fast bläulich, ihre Kleidung besteht aus mehreren zipfelnden Etagen in den Farben rosa, gelb und hellgrün. An ihrem linken Handgelenk entdecke ich die teure Armbanduhr, die Ewald am Strand gefunden hat. Anneliese und ich können gar nicht anders, wir müssen sie erst einmal bewundern. So viel Wärme und Lebensfreude findet man selten in unseren Breiten. Auf die Dauer kann dieses ungebremste Temperament allerdings auch anstrengend werden. Mich stört überdies ihr Unvermögen, die Lautstärke ihres Lachens um ein paar Nuancen zu drosseln.

Zum Glück wendet sie sich hauptsächlich an Anneliese, in der sie sofort eine verwandte Seele wittert.

»Yola hat leider wenig Zeit, und viele ihrer Pflanzen kümmerten vor sich hin. Ich habe alle neuen Triebe gestutzt, und zwar bei abnehmendem Mond, das hat vorzüglich geholfen.«

Anneliese pflichtet ihr bei: »Und wenn der Mond im Sternzeichen Jungfrau steht, solltest du Stecklinge setzen!«

Mit solchen Gesprächen kann ich überhaupt nichts anfangen. Deswegen bin ich ganz froh, daß

Yola nun auch in den Wintergarten kommt und ihrer Mutter die Krücken reicht. Luiza drückt mit der rechten Hand ihre Zigarette aus, mit der linken pfeffert sie die ungeliebten Stöcke in eine Ecke.

»Mama, hast du endlich die Gelegenheit zum Qualmen und Fachsimpeln gefunden? Leider werde ich mich von einigen deiner Lieblinge trennen müssen. Sobald unser Baby krabbeln kann, muß das giftige Zeug aus dem Haus.«

Yola schaut fragend zu Anneliese hinüber. »Möchten Sie vielleicht die Engelstrompete adoptieren?«

Noch bevor Anneliese danken kann, ruft Andreas: »Essen fertig!«, und wir gehen zu Tisch.

Als Vorspeise gibt es geröstetes Knoblauchbrot mit Tomatensalat und einen frischen Vinho verde. Die gallenkranke Anneliese langt wieder einmal kräftig zu. Luiza bestreitet das Gespräch fast allein, erzählt von Fußballfieber und der Inflation in ihrer Heimat, fragt, ob wir den Namen Gustavo auch so schön fänden, äfft einen Papageien nach, lacht und trinkt. Nicht nur zu Ewald, auch zu allen anderen sucht sie Körperkontakt. So wie Annelieses Mann ein Pelzrücker war, so ist sie eine Anfasserin. Aber ist sie verliebt in Ewald? Eher nicht, glaube ich, denn offensichtlich findet sie Gefallen daran, ihn bei jeder Gelegenheit zu veräppeln.

Hin und wieder, wenn sie allzu übermütig wird, murmelt Ewald entschuldigend: »Spaß muß sein.« Ein absolut humorloser Spruch, den ich im Grunde nicht ausstehen kann.

Nach dem dritten Knoblauchbrot bin ich ziemlich satt und betrachte sinnend das Besteck, ob es mir vielleicht einen Hinweis auf die weitere Speisenfolge geben könnte.

Ewald soll schließlich eine schwere Keramikplatte aus dem heißen Ofen nehmen und auftragen. Es gibt Empanadas, wie uns Yola erklärt. Die Teigtaschen wurden mit Hackfleisch, Oliven, Zwiebeln, Speck und Rosinen gefüllt und mit viel Chili scharf gemacht. Dazu gibt es schwarze Bohnen und einen trinkbaren Rotwein aus Rio Grande do Sul. Alles in allem ist es ein eher schlichtes, dafür Durst erzeugendes Essen, doch durch fremdartige Würze und ungewohnt deftige Trinksprüche verfallen wir restlos der Exotik dieses Abends.

Kaum haben wir zum Abschluß einen pechschwarzen und zuckersüßen Kaffee geschlürft, als Yola sich erhebt und entschuldigt. Sie müsse früh aufstehen und sei sehr schlafbedürftig. Das bedeute aber nicht, daß wir nun gehen sollen, versichert sie, ganz im Gegenteil. Ewald und Andreas wechseln einen kurzen Blick. Sie hatten wohl von Anfang an geplant, noch ein wenig Schach zu spielen.

Anneliese raunt mir zu: »Erinnerst du dich an Baden-Baden? Rudi im Duell mit dem netten Nikolai? So eine Partie kann ewig dauern.«

Wir machen gute Miene zum königlichen Spiel und begeben uns mit Luiza in den Wintergarten. Mit einem Seufzer zündet sie eine Zigarette und neue Kerzen an.

»Wißt ihr«, sagt sie und pafft mir den Rauch ins Gesicht, »ich bin sehr stolz auf meine Tochter. Sie hat alle deutschen Eigenschaften, die ich nicht habe – Fleiß, Pünktlichkeit, Ordnungsliebe. Aber sie ist streng und will mir unbedingt das Rauchen abgewöhnen. Nun ja, sie hat mildernde Umstände als Schwangere und Ärztin; sorry, ich habe gar nicht gefragt, ob ihr auch rauchen wollt?«

Eigentlich haben wir uns dieses Laster vor vielen Jahren abgewöhnt. Doch anscheinend will Anneliese unserer Gastgeberin imponieren, denn sie meint: »Nach einem guten Essen ist ein Sargnagel der einzig richtige Abschluß. Rauchst du eigentlich bloß brasilianische Sorten?«

Luiza behauptet, sie mische den Tabak und drehe sich ihre Zigaretten eigenhändig, und für liebe Freunde hätte sie etwas Besonderes auf Lager. Wie ein luftiger Papageno flattert sie davon, um die angepriesene Spezialität zu holen.

Kaum ist Luiza außer Hörweite, da flüstert Anneliese mir zu: »Nett, aber eine Nervensäge!«

»Stimmt! Und eine Schlange dazu! Hast du schon mal eine Gehbehinderte gesehen, die mit dem Po wackeln kann wie eine Samba-Tänzerin?«

Luiza kommt mit einem geschnitzten Kästchen zurück.

»Ihr dürft es den Männern aber nicht verraten und Yola schon gar nicht«, sagt sie verschwörerisch und schenkt uns die fünfte Caipirinha ein.

Jetzt werde ich neugierig. Zwar habe ich meinen letzten Glimmstengel vor etwa vierzig Jahren geraucht, aber soll ich deswegen zur Spielverderberin werden? Wahrscheinlich hat Luiza ihre Mischung mit Marihuana verfeinert. Fast alle jungen Leute, selbst Rudi und Christian, haben diesbezüglich schon Erfahrungen gesammelt, und ein gelegentlicher Joint hat ihnen auch nicht geschadet. Die vielen unterschiedlichen Getränke haben meine Prinzipien längst ins Wanken gebracht, und ich stecke mir wie selbstverständlich eine Zigarette an.

»Macht es ein bißchen high?« fragt Anneliese erwartungsvoll.

»Fast gar nicht«, sagt Luiza, »ich würde eher sagen, es macht glücklich.«

Sie erzählt von ihrer Großmutter, die eine Priesterin der Candomblé-Religion war und magische

Kräfte besaß. Anneliese ist völlig fasziniert, doch ich bin schon bald enttäuscht. Jetzt habe ich bereits drei Zigaretten geraucht und beobachte keinerlei Wirkung, weder an mir noch an den anderen. Alles fauler Zauber, denke ich, aber das ist ja auch besser so. Soll ich auf meine alten Tage noch zur Kifferin werden? Besser, wir gehen jetzt unverzüglich nach Hause.

Ich stehe auf und schaue durch die Glastür in die Eßecke, wo die beiden Schachspieler mit verbissenem Ausdruck auf das Brett starren. Anneliese hat recht, das kann noch Stunden dauern.

»Sind Ewald und Andreas eigentlich gute Spieler? Sie wirken so ernst«, sage ich.

»Keine Ahnung, aber sie können wohl sonst nicht viel miteinander anfangen«, meint Luiza. »Yola und ich diskutieren und tratschen gern, manchmal verfalle ich auch ins Portugiesische, dann versteht Andreas sowieso nichts. Außerdem muß er den lieben langen Tag mit Patienten reden, da mag er abends nur ungern den Mund aufmachen.«

»Aber mit Ewald kann man doch gut plaudern«, sagt Anneliese.

Luiza meint grinsend: »Findest du? Ja, wir Frauen vielleicht schon, mein Schwiegersohn aber bestimmt nicht.«

Nachdem sie eine Weile lang Anneliese fixiert

hat, sagt sie: »Du trägst aber besonders schönen Schmuck! Solche großen Smaragde könnten fast aus Brasilien stammen, aber wahrscheinlich hast du sie von deiner Oma geerbt.«

Anneliese nickt stolz und nestelt bereits an der Brosche herum. Flink hat sie auch Armband und Ohrgehänge abgelegt; nur beim Ring muß sie passen, er scheint sehr fest zu sitzen.

»Kannst du ruhig mal anprobieren, wahrscheinlich steht dir Schmuck viel besser als mir.«

Das ist allerdings wahr. Auf Luizas dunkler Haut kommen die grünen Steine erst richtig zur Geltung.

Ich setze mich wieder hin, und plötzlich wird mir schwindelig. Der Wintergarten weitet und verengt sich wie in einem Fiebertraum.

»Macht mal die Fenster auf«, bitte ich, »die Luft ist hier zum Schneiden!«

Luiza kichert wie ein Kobold, und ihre Augen funkeln. Dieses gelbliche Leuchten könnte auch von einem Tier stammen, das überraschend am Randstreifen der Autobahn auftaucht und plötzlich in wilden Sprüngen über die Straße setzt. Im Grunde weiß ich genau, daß man in solchen Fällen Gas geben soll.

27

Anneliese ist zwar auch berauscht, aber trotzdem besorgt um mich. Wahrscheinlich sehe ich aus wie ein Zombie.

»Wollen wir nicht der dumpfen Stubenluft entfliehen und uns im Abendhauche kühlen?« fragt sie.

Diese dumme Pute, was redet sie auf einmal für einen Unsinn, denke ich, am liebsten will ich doch bloß ins Bett! Ich nicke nur matt, als Luiza und Anneliese mich hochziehen. Bei unserer unvermeidlichen Durchquerung des Wohnzimmers heben die Schachspieler noch nicht einmal den Blick. Unter ständigem Kichern schlüpft Luiza in hochhackige rote Stiefel. Sie sieht aus wie eine Teufelin. Gemeinsam treten wir vor die Haustür, und ich atme tief durch.

»Kommet, ihr Schwestern, lasset uns wandeln«, ruft Anneliese. »Sehet, wie festlich das Städtchen erleuchtet, wie friedvoll der Neckar strömet zu Tal!«

Luiza zieht die Haustür zu. Ihre Krücken hat sie drinnen gelassen.

»Bergauf oder bergab komme ich nur langsam voran«, sagt sie, »wenn wir Yolas Auto nehmen, sind wir schneller unten und können am Ufer spazierengehen.«

Sie klimpert mit einem Schlüsselbund und schließt den Mercedes ihrer Tochter auf.

»Eigentlich solltest du nicht mehr fahren«, warne ich, »wir haben alle drei zuviel getankt!«

»Ach was«, sagt sie, »den Berg hinunter saust der Schlitten von allein, der kennt diesen Weg fast im Schlaf.«

Ein Auto ist kein Pferd, denke ich, sitze aber schon, ohne zu widersprechen, im Fond. Immerhin soll sich der Todessitz vorn befinden, und da hat sich Anneliese breitgemacht. Luiza fährt zügig und elegant, und es ist wirklich nur eine kurze Strecke.

Unten angekommen, läßt sie den schweren Wagen skrupellos im Halteverbot stehen, preßt einen Plastiksauger mit Äskulapschild an die Windschutzscheibe und steigt aus.

Eine Gruppe junger Leute zieht grölend an uns vorbei; ihr Spott ist nicht zu überhören. »Drei olle Schabracken, und voll bis obenhin«, sagt einer, die anderen drehen sich um und applaudieren uns hämisch.

Mir ist es überaus peinlich, aber Luiza gerät sofort in Harnisch und brüllt den Studenten hinterher: »Selber besoffen, ihr Arschlöcher!«

»Halt die Klappe, du schwarze Pest!« pöbelt es zurück.

Luiza schreit noch »Nazischweine«, dann gehen ihr die Schimpfwörter aus, weil sie umknickt und aufjault wie ein getretener Hund.

Wutentbrannt will Anneliese den Männern nachsetzen, und ich kann sie nur mit Mühe zurückhalten.

»Hoffentlich hat sie sich nichts gebrochen«, flüstere ich.

Doch schon sinkt die Brasilianerin stöhnend auf die Bordsteinkante, zieht ihren Stiefel aus, reibt sich den Knöchel und flucht laut vor sich hin: »*Ay, que droga!*«

»Sprichst mit fremder Zunge?« fragt Anneliese, und ich fühle mich wie in einem Alptraum. Da mir Luiza trotz ihres Mißgeschicks eine Spur vernünftiger vorkommt, wende ich mich jetzt an sie: »Was ist eigentlich los mit uns? Hast du pfundweise Gras in die Zigaretten gestopft? Anneliese ist gar nicht mehr sie selbst!«

Zwar kreischt Luiza wieder schrill auf, aber sie spricht wenigstens in verständlichen Sätzen.

»Verdammt noch mal, tut das weh! – Du bist mir schon ein rechtes Unschuldslamm! Meinst du etwa, in Yolas Haus findet man auch nur ein Gramm Cannabis? Das war alles Marke Eigenbau, wofür habe ich schließlich die schöne Engelstrompete gekauft!«

Der Schreck wirkt auf mich wie eine Ausnüchterungskur. Inzwischen ist auch Anneliese auf den Gehsteig heruntergerutscht und wiegt die kleine Luiza in den Armen wie ein Baby.

»Kommt, Kinder«, sage ich energisch, »ihr könnt doch nicht auf den Pflastersteinen sitzen bleiben, ihr holt euch ja den Tod!«

Bei diesen Worten wird mir erst bewußt, daß wir alle drei keine Jacken mitgenommen haben. Besonders Luiza in ihren hauchdünnen Flatterkleidern müßte eigentlich höllisch frieren. Um sie ein wenig zu schützen, lege ich ihr mein seidenes Tuch um den Hals, das perfekt mit ihren Papageienfarben harmoniert.

»Hast du vielleicht einen Mantel im Auto?« frage ich.

»Meine Gabardina hängt in der Garderobe«, flötet sie, nimmt aber meine dargebotene Hand und läßt sich auf die Beine helfen. Kaum ist auch Anneliese mühselig in die Senkrechte gekommen, umschlingt sie Luiza erneut und trällert:

Vilja, o Vilja, du Waldvögelein!
Faß mich und laß mich
Dein Trautliebster sein!

»Heißt es nicht Waldmägdelein?« verbessere ich und bin ganz verwundert, daß mir Annelieses Gesang gefällt.

Es behagt mir nur gar nicht, daß die beiden keinen Schritt weitergehen, sondern mitten auf der Fahrbahn herumtorkeln. Zurück zum Auto ist es weiter als bis zur alten Brücke, die direkt vor uns auftaucht.

»Los jetzt«, kommandiere ich, »wir setzen Luiza auf die Balustrade und wickeln ihr einen Strumpf um den Knöchel. Ich hole dann den Wagen, und wir fahren schnurstracks nach Hause!«

Mit sanfter Gewalt gelingt es mir, die schwankenden Gestalten Meter für Meter voranzutreiben. Im Licht einer Laterne erkenne ich auf meiner Uhr, wie spät es schon ist. Ewald und Andreas werden sich Sorgen machen. Da überkommt mich wieder ein heftiges Schwindelgefühl, ich sehe kugelförmige Lichter aus dem Neckar quellen und wie Seifenblasen in der Luft schweben.

»Mitternacht rückt näher schon«, flüstert Anneliese, und plötzlich weiß ich, daß wir alle drei verhext sind. Wenn ich nicht sofort einen Sitzplatz finde, werde ich umfallen. Zum Glück haben wir jetzt den Mittelpfeiler der Brücke erreicht; die Brüstung reicht uns bis zur Taille, und es gelingt uns nur durch gegenseitige Hilfe, unsere drei Hinterteile auf die breite Sandsteinmauer zu wuchten. Nun hocken wir hier wie matte Vögel und schauen zum Tor mit den beiden schlanken Türmen hinüber. Unter uns schwappt leise das Wasser an die Brückenbögen, gelegentlich hört man jugendliche Stimmen oder Musik, die aus den offenen Fenstern eines Autos dröhnt.

Luiza murmelt portugiesische Worte, von denen ich immerhin *estrela* und *praia* verstehe. Anneliese brabbelt Gedichte, die ich nicht kenne. Zum ersten Mal im Leben möchte auch ich etwas zum Besten geben und entscheide mich für: *Bald gras ich am Neckar, bald gras ich am Rhein, bald hab ich ein Schätzel, bald bin ich allein.* Aber mein eigener Gesang stimmt mich eher traurig, denn schon lange habe ich kein Schätzel mehr, es ist alles zum Heulen.

»Hast du manchmal Heimweh?« frage ich Luiza.

»*Às vezes*«, sagt sie, »aber mit Fernando habe ich Schluß gemacht, deswegen kann ich nicht zurück.«

»Und jetzt willst du Ewald heiraten?« frage ich, aber sie lacht nur, anstatt zu antworten, und zwar so heftig, als hätte ich den Witz des Tages gemacht.

»Fontana di Trevi«, summt sie und wirft den Autoschlüssel in den Neckar.

Anneliese rührt das nicht weiter, sie rezitiert:

Wie der Vogel des Walds über die Gipfel fliegt,
Schwingt sich über den Strom, wo er vorbei dir
  glänzt,
Leicht und kräftig die Brücke,
Die von Wagen und Menschen tönt.

»Seid ihr glücklich?« fragt Luiza.

Anneliese nickt, ich schüttle heftig den Kopf.

Aus dem Wasser winden sich grüne Schlangen, recken doppelte Köpfe mit vierfachen Zungen empor und zischen. Eine Seejungfrau winkt mir zu und entschwindet gleich wieder. Auf einmal liegt eine schmale Hand auf meiner Schulter, die sich kraftvoll an mir abstemmt. Ehe ich mich versehe, steht Luiza auf der Mauer.

»Wir können fliegen!« jubelt sie und dreht sich zur Wasserseite. »Bis gleich, *boa sorte!*«

So schnell es eben geht, haben Anneliese und ich die Beine um 180 Grad geschwenkt und lassen sie über die Außenmauer hängen. Voller Bewunderung sehen wir, wie Luiza ihre Flügel ausbreitet und abhebt. Nebel wabert über dem Wasser, aber hoch über uns schwebt mein bunter Schal, und wir verfolgen ihn mit den Augen, bis er nicht mehr zu sehen ist.

»La Paloma, ade!« rufe ich und winke.

Auch die verblüffte Anneliese findet ihre Sprache

wieder: »Luzifera war mein Schutzengel, aber nun hat sie mich verlassen«, behauptet sie weinerlich. Aber gleich darauf beweist sie wieder, daß sie für jede Situation ein passendes Gedicht kennt:

»*Wann treffen wir drei wieder zusamm?*«
»*Um die siebente Stund, am Brückendamm.*«

Abrupt bleibt sie mitten in Fontanes Ballade stecken, denn wir hören die vertrauten Stimmen von Ewald und Andreas: »Sie haben sich bestimmt nicht weit vom Wagen entfernt, Luiza ist nicht gut zu Fuß!«

»Anneliese auch nicht.«

Bei der Nennung ihres Namens packt meine Freundin das blanke Entsetzen.

»Weh mir! Die Dämonen!« kreischt sie und rutscht nach vorn, um sich abzustoßen.

Mit aller Kraft will ich sie festhalten, aber durch ihr schweres Gewicht reißt sie mich mit, und wir fallen. Ich höre noch den gewaltigen Fanfarenstoß der Engelstrompete, um mich explodiert tausendfaches Glas, der Schmerz zerreißt mir alle Glieder, dann zieht mich eine eiskalte Nixenhand auf den Grund.

Irgendwann geht das Geheule der Engelstrompete von neuem los, obwohl ich doch meinte, allem Lärm endgültig entronnen zu sein. Der Ton wird gellend und rhythmisch, dringt mir durch Mark und Bein, empfängt mich in einem gleißenden Zwischenreich. Wo sind meine Schwestern hingeflogen? Was für ein dickes, kratziges Fell klebt an meinem Körper bis hinauf zum Kinn? Welcher Vampir sticht mir in die Armbeuge? Unter keinen Umständen darf ich die Augen öffnen.

»Sie kommt zu sich«, sagt jemand, aber das lehne ich ab. Viel lieber werde ich spazierengefahren, geschaukelt und getragen, ausgewickelt, ausgezogen, gebadet, angezogen und eingewickelt, denn ich bin wieder ein ganz kleines Kind.

»Mama!« rufe ich und muß mich übergeben.

»Bin mal gespannt, was die im Labor herauskriegen«, sagt eine fremde Frauenstimme.

Als ich langsam die Augen aufschlage und mich umschaue, liege ich in einem Krankenhauszimmer. Außer mir ist niemand im Raum, die Sonne scheint durch das Fenster und blendet mich. Ich habe Durst. Auf dem Nachttisch steht ein blauer Plastikbecher mit einer Art Tülle im Deckel. Bevor ich noch recht weiß, ob ich aus dieser Schnabeltasse trinken muß, geht die Tür auf, und eine Krankenschwester tritt ein. Mit gerunzelter Stirn fühlt sie meinen Puls. Wie es uns gehe, will sie wissen.

»Wo sind die anderen?« frage ich.

»Sie werden es früh genug erfahren«, sagt die Pflegerin kühl, »ich bin nicht befugt, Ihnen Auskunft zu erteilen. Die Polizei hat im übrigen auch schon nach Ihnen gefragt.«

Sie verläßt mich rasch, aber kurz darauf steht Yola an meinem Bett, zieht sich einen Stuhl heran und fragt: »Wissen Sie noch, wer ich bin?«

Yola sieht schlecht aus, unausgeschlafen und verweint.

»Ihre Pupillen sind immer noch stark erweitert. Können Sie sich erinnern, was Sie gestern abend alles konsumiert haben?« beginnt sie das Verhör.

Soll ich verraten, wer uns angestiftet hat? Lieber erwähne ich nur ein paar harmlose Drinks und Zigaretten, die Luiza mit uns geteilt hat.

»Ich kann mir schon denken, was das für ein Kraut war«, sagt Yola und mustert mich kopfschüttelnd. »Es tut mir leid, wenn Ihnen meine Mutter bleibenden Schaden zugefügt haben sollte.«

»Wo ist sie? Wo ist Anneliese?« frage ich.

»Ihre Freundin liegt noch auf der Intensivstation«, sagt Yola. »Sie befand sich in einem derart deliranten Zustand, daß man sie unter ständiger Kontrolle halten mußte. Glaubte, sie sei von Dämonen besessen! Inzwischen soll sie sich aber beruhigt haben. Meinen Vater hat man zur Beobachtung ebenfalls hierbehalten.«

»Und Ihre Mutter?«

Bei diesem Stichwort ist es mit Yolas Fassung vorbei, sie heult los. »Meine Mutter wurde noch nicht gefunden!«

Immerhin ist sie nach längerem Schluchzen in der Lage, mir einige Details zu berichten. Die bisher einzigen Halluzinationen unseres Lebens verdanken Anneliese und ich Yolas Mutter, die rasche Rettung aber ihrem Mann und ihrem Vater. Als Andreas und Ewald nämlich beobachteten, daß insgesamt drei Personen von der Brücke stürzten, alarmierten sie die Notrufleitstelle. Da Eile geboten war, sprangen sie dann sofort vom Ufer aus in die kalte Flut. Andreas hat Anneliese, Ewald mich herausgefischt.

»Ohne ihr beherztes Eingreifen wären Sie glatt abgesoffen«, meint Yola. Nach Luiza werde immer noch gesucht. Die Wasserpolizei habe bei Tagesanbruch einen Fetzen ihrer Kleidung entdeckt, der ein paar Kilometer stromabwärts im Schilf hing.

»Aber sie konnte doch fliegen«, murmle ich trotzig.

Das hätte ich nicht sagen sollen, denn Yola muß aufs neue weinen. Als sie endlich weitererzählen will, streicht sie immer wieder beschwichtigend über ihren gewölbten Leib.

Vor etwa zwei Jahren war Luiza in ihre alte Heimat zurückgekehrt und hatte sich dort mit einem wesentlich jüngeren Landsmann aus dem Drogenmilieu eingelassen. Als es Yola endlich gelang, ihre Mutter diesem Teufelskreis zu entreißen, kam es zu einer heftigen Auseinandersetzung mit dem süchtigen Fernando, der mit Vergeltung drohte. Luiza floh nach Deutschland, ohne zu wissen, ob das eine gute Entscheidung war. Sie fühlte sich entwurzelt und heimatlos.

Natürlich muß ich jetzt auch weinen.

»Und warum liegt Ewald im Krankenhaus?« frage ich reichlich spät.

»Nach der Rettungsaktion ist er kollabiert«, sagt Yola, »wahrscheinlich ein Kälteschock. Aber er ist schon wieder munter, vielleicht kann ich ihn heute nach Hause holen. Ich denke mal, Sie und Ihre Freundin brauchen auch nicht lange hierzubleiben, aber das wird der Stationsarzt entscheiden. Ich bin ja selbst nur Besucherin in dieser Klinik.«

»War ich lange bewußtlos?« frage ich.

»Wahrscheinlich nicht. Die volle Wirkung von Scopolamin tritt oft erst mehrere Stunden später ein, so daß Sie nach der Bergung noch sehr exaltiert waren. Man mußte Sie sedieren und Ihre Freundin ebenfalls. Aber wie man sich in Ihrem Alter an pubertären Mutproben beteiligen kann, das will mir einfach nicht in den Kopf! Es hätte weit schlimmer ausgehen können!«

Ich schäme mich in Grund und Boden.

Wenn es auch Yolas eigene Mutter war, die uns die Sache schmackhaft gemacht hat, so ist die Ärztin mit ihrer Strafpredigt trotzdem nicht am Ende: »Mein Mann mußte heute seine Sprechstunde absagen, nicht nur wegen einer saftigen Erkältung. Sie sollten sich mal ansehen, wie Ihre feine Freundin ihm das Gesicht zerkratzt hat, weil sie ihn angeblich für einen Dämon gehalten hat! Er sieht aus, als sei er in eine Löwengrube gefallen. Mein Gott, als ob ich nicht schon von Berufs wegen genug Ärger mit euch Junkies hätte!«

Als sie geht, um nach ihrem Papa zu schauen, falle ich in einen Dämmerschlaf. Ohne zu wissen, wie spät es ist und wo ich bin, bemerke ich doch, daß irgendwann ein zweites Bett ins Zimmer gerollt wird.

Anneliese winkt mir kaum merklich zu und döst gleich wieder ein. Es ist schon ein Wunder, daß sie auf ihre alten Tage die Flugangst überwunden hat und hinter Luiza hersegeln wollte.

28

Bald jährt sich der Tag, an dem ich von Wiesbaden nach Schwetzingen gezogen bin, und auch der peinliche Sturz von der Brücke liegt nun schon sieben Monate zurück. Wir erinnern uns ebenso ungern wie verschwommen an unseren mißratenen Höhenflug. Anneliese trauert vor allem ihrem Russenschmuck nach, denn bloß der Smaragdring ist ihr als Erinnerungsstück an Baden-Baden geblieben.

Erst zwei Tage nach dem Unfall wurde Yolas Mutter gefunden; die Obduktion ergab ein schweres Schädeltrauma und Tod durch Ertrinken. Man nimmt an, daß sie mit dem Kopf gegen einen Brückenpfeiler prallte und sofort das Bewußtsein verlor. Insofern war Annelieses beträchtliches Gewicht ein Segen, denn wir drifteten beim Fallen nicht ab, sondern plumpsten hinunter wie ein Senkblei.

Der auffällige Schmuck, den die tote Luiza trug, erregte das Interesse einer Polizistin, die erst kürzlich die Fahndungsliste des Bundeskriminalamts durchgegangen war. Brosche und Ohrgehänge – das Armband ruht wahrscheinlich auf dem Grund des Nekkars – wurden ihrer Tochter vorgelegt. Yola sagte, diese Sachen habe sie noch nie an ihrer Mutter gesehen, sie könnten aber unter Umständen aus Brasilien stammen.

Wahrscheinlich wurden die Schmuckstücke an die Russen zurückgegeben, denn Rudi erzählte mir später, daß sie von der Liste gesuchter Gegenstände verschwunden seien. Anneliese und ich nehmen an, daß man die tote Luiza für die Diebin hielt, die allerdings nicht mehr zur Rechenschaft gezogen werden konnte.

Manchmal habe ich das Gefühl, daß Ewalds Tochter etwas ahnt, denn sie legt keinen großen Wert auf unsere Gesellschaft. Dabei sollte sie letzten Endes dankbar sein, daß wir uns so aufopfernd um ihren Vater kümmern. Aber vielleicht bilde ich mir das bloß ein, denn Yolas Gedanken kreisen im Augenblick sowieso nur um ihr Baby. Der kleine Gustav kam pünktlich und gesund zur Welt. Kurz darauf hat Ewald eine Engelstrompete, zwei Oleander, einen Rizinus und einige Kakteen aus Yolas Wintergarten zu uns befördert, ich konnte der entzückten Anneliese die Annahme leider nicht ausreden.

Ewald wohnt nach einem kurzen Intermezzo wieder bei uns, und wir wollen seine Gunst nicht leichtfertig aufs Spiel setzen. In Yolas Wohnung wurde zwar nach Luizas Tod ein Zimmer frei, aber das war bereits für das Baby vorgesehen. Leider ist es durch Ewalds ständige Anwesenheit immer enger bei uns geworden, denn peu à peu hat er eigene Möbelstücke eingeschleust.

Aufgeregt haben wir uns darüber nicht. Der Todesflug hat uns von allen kleingeistigen Sorgen kuriert. Auch Anneliese läßt die Dämonen ruhen, der Garten, ihr geliebtes Hexenhäuschen und unsere Freundschaft, das sind die wahren Werte.

»Ich stehe morgens ungern auf«, sagt Ewald, »und abends gehe ich ebenso ungern zu Bett.«

Deswegen sitzen wir jetzt oft lange beim späten Frühstück. Wenn wir abends nicht gerade fernsehen oder lesen, diskutieren wir über Gott und die Welt. Falls es um Politik geht, können wir uns richtig in die Wolle kriegen. Ich stamme aus einer Sozialistenfamilie, Anneliese ist eine Altgrüne und Ewald wählt die FDP.

Da Ewald im Gegensatz zu mir noch gern Auto fährt, machen wir einmal in der Woche einen größeren Ausflug und bestimmen abwechselnd das Ziel. Als Naturfreundin begeistert sich Anneliese besonders für Schau- und Sichtgärten. Neulich besuchten wir den wunderschönen Hermannshof in Weinheim, in dieser Woche wird es der Heilkräutergarten in Lorsch sein, und für den Juni schlägt sie die Eltviller Rosentage vor. Mein Wunsch ist eine Fahrt zum Schmuckmuseum nach Pforzheim oder nach Erbach, dem alten Zentrum der Elfenbeinschnitzerei. Ewald interessiert sich dagegen für die Volkssternwarte in Darmstadt und das Landesmuseum für Technik in Mannheim. Ich hoffe, wir können uns dank unseres Chauffeurs auch weiterhin in jeder Woche auf einen kleinen Höhepunkt freuen.

Erfreulicherweise hat Anneliese ihre Flugangst rein theoretisch überwunden, jedenfalls glaubt sie fest daran. Wir haben beschlossen, es im nächsten Winter den Schwalben nachzumachen und gemeinsam auf die Kanaren zu fliegen. Falls es uns gefällt, wollen wir unser Nest in der dunklen Zeit regelmäßig eine Zeitlang verlassen. Für die Reiseplanung ist natürlich Ewald zuständig.

Er soll sich auf keinen Fall bei uns langweilen. Die Pflichten unseres Gärtners konnte er weitgehend übernehmen, und zusätzlich bietet er sich immer wieder als Kurier an. Mal bringt er Annelieses frischgebackenen Kuchen ins Asylbewerberheim, mal schicken wir ihn in die Mannheimer Straße, um ein Buch zu bestellen, Medikamente aus der Apotheke abzuholen oder frischen Fisch zu kaufen. Auch seine Tochter fordert ihn zuweilen als Babysitter an, dann reicht Ewald den Kleinen allerdings gern weiter.

So kommt es, daß ich jetzt hin und wieder mit einem Kinderwagen im Schloßgarten spazierengehe, neuerdings auch mit Rudis Hund, der vorübergehend bei uns einquartiert wurde. Häufiger wandere ich jedoch mit Ewald herum, der im Gegensatz zu Hund oder Baby plaudern kann und als Kavalier stets einen Schirm für mich mitnimmt. Anneliese hat wiederum das Exklusivrecht, jederzeit mit ihrem Jugendfreund tanzen zu dürfen. Allzuoft nutzt sie das Privileg der Damenwahl allerdings nicht aus, denn ihre Gefühle haben sich – wie auch meine – mit der Zeit ein wenig abgekühlt.

»Alte Liebe rostet nicht«, sagt sie, »aber schimmelig kann sie werden.«

In einer guten Ehe arrangiert man sich mit den Jahren. Auch Anneliese und ich haben uns eines Tages geeinigt, Ewald unter uns aufzuteilen, weil die Männer im siebten Jahrzehnt schon rein statistisch rarer werden. Doch in unserem Fall ist es keine Notlösung, denn es klappt alles vorzüglich. Das Leben zu dritt macht erst den Reiz unserer alten Tage aus.

Und falls Ewald sich doch noch als untragbar erweisen sollte, dann ist in Annelieses Garten bestimmt ein Kräutlein dagegen gewachsen.

Das Diogenes Hörbuch zum Buch

Ingrid Noll
Ladylike

Ungekürzt gelesen von MARIA BECKER

7 CD, Spieldauer 459 Min.

Ingrid Noll
im Diogenes Verlag

Der Hahn ist tot
Roman

Sie hält sich für eine Benachteiligte, die ungerecht behandelt wird und zu kurz kommt. Mit zweiundfünfzig Jahren trifft sie die Liebe wie ein Hexenschuß. Diese letzte Chance muß wahrgenommen werden, Hindernisse müssen beiseite geräumt werden. Sie entwickelt eine bittere Tatkraft: Rosemarie Hirte, Versicherungsangestellte, geht buchstäblich über Leichen, um den Mann ihrer Träume zu erbeuten.

»Ingrid Noll, die nach dem Großziehen dreier Kinder plötzlich diesen flirrend bösen Erstlingsroman schrieb, erzählt mit unbeirrter Geradlinigkeit, immer stramm aus Rosis Sicht, von Mord zu Mord, und alles geht trotzdem gut aus, man möchte sich vor Lachen über soviel Abstruses wälzen und gleichzeitig was Wärmeres anziehen, weil es einen gründlich friert, so sehr blickt man in die Abgründe der frustrierten weiblichen Seele. Ein köstliches Buch darüber, wie Frauen über Leichen gehen, um den Mann ihrer Träume zu kriegen. Männer, hütet euch, Rosi Hirte steckt in uns allen!«
Elke Heidenreich

»Wenn Frauen zu sehr lieben... ein Psychokrimi voll trockenem Humor. Spielte er nicht in Mannheim, könnte man ihn für ein Werk von Patricia Highsmith halten.« *Für Sie, Hamburg*

Die Häupter meiner Lieben
Roman

Maja und Cora, Freundinnen, seit sie sechzehn waren, lassen sich von den Männern so schnell nicht an Draufgängertum überbieten. Kavalierinnendelikte und böse Mädchenstreiche sind ebenso von der Partie wie Mord und Totschlag. Wehe denen, die ihrem Glück in der Toskana im Wege stehen!

»Männer sind die Opfer in dem neuen Roman, einer witzig und temporeich geschriebenen Erzählcollage aus Kindheitserinnerungen, Vergangenheitsbewältigung, Liebesaffären und Morden an lästigen Zeitgenossen, die das Seelenheil der beiden Protagonistinnen und ihr beschauliches Frauenidyll in der Toskana zu zerstören drohen. Eine Geschichte voll Ironie und schwarzem Humor.« *Frankfurter Allgemeine Zeitung*

Die Apothekerin
Roman

Hella Moormann liegt in der Heidelberger Frauenklinik – mit Rosemarie Hirte als Bettnachbarin. Um sich die Zeit zu vertreiben, vertraut Hella der Zimmergenossin die ungeheuerlichsten Geheimnisse an. Von Beruf Apothekerin, leidet sie unter ihrem Retter- und Muttertrieb, der daran schuld ist, daß sie immer wieder an die falschen Männer gerät – und in die abenteuerlichsten Situationen: eine Erbschaft, die es in sich hat, Rauschgift, ein gefährliches künstliches Gebiß, ein leichtlebiger Student und ein Kind von mehreren Vätern sind mit von der Partie. Und nicht zu vergessen Rosemarie Hirte in der Rolle einer unberechenbaren Beichtmutter...

»Ihre mordenden Ladies verbreiten beste Laune, wenn sie sich daranmachen, lästige und langweilige Störenfriede beiseite zu schaffen.«
Anne Linsel / Die Zeit, Hamburg

»Ingrid Noll hat nicht nur ein einfühlsames Psychogramm abgeliefert, sondern auch einen spannenden Kriminalroman, der zudem unterhaltsam-ironisch geschrieben ist.« *Brigitte, Hamburg*

Der Schweinepascha

in 15 Bildern. Illustriert von der Autorin

Der Schweinepascha hat es gut,
weil dieses Faultier wenig tut,
auf eine Ottomane sinkt
und Mokka mit viel Sahne trinkt.

Der Pascha wird gefeilt, rasiert,
geölt, gekämmt und balsamiert.
Die Borsten werden blond getönt,
gebürstet und leicht angefönt.

Sechs Frauen hat der Schweinepascha, doch die sind ihm alle davongelaufen – bis auf die letzte: die macht ihn zum Vater von sieben Schweinekindern.

»Doch eines Tages ist es vorbei mit dem Wohlleben, denn von den sechs Haremsdamen des Schweinepaschas büchst eine nach der anderen aus... Ingrid Noll legt mit diesem Büchlein den Beweis vor, daß sie nicht nur entzückend dichten, sondern auch noch zeichnen kann.« *Emma, Köln*

Kalt ist der Abendhauch

Roman

Die dreiundachtzigjährige Charlotte erwartet Besuch: Hugo, ihren Schwager, für den sie zeit ihres Lebens eine Schwäche hatte. Sollten sie doch noch einen romantischen Lebensabend miteinander verbringen können? Wird, was lange währt, endlich gut? Ingrid Nolls Heldin erzählt anrührend und tragikomisch zugleich von einer weitverzweigten Familie, die es in sich hat. Nicht zufällig ist Cora, die ihren Liebhaber einst in der Toskana unter den Terrazzofliesen verschwinden ließ, Charlottes Enkelin...

»Räumt auf mit dem Klischee, daß alte Menschen nur die Rolle: gutmütige, Geschichten erzählende Oma

oder verkalkter, problematischer Opa spielen dürfen. Bei Ingrid Noll dürfen die Alten sein, wie sie sind, sowohl, als auch und überraschend anders.«
Veronika Bock / Westdeutscher Rundfunk, Köln

»Ein wunderbar melancholisch-bitterer Roman, aufgemischt mit einer ordentlichen Prise Ironie.«
Nina Ruge / Freundin, München

Röslein rot

Roman

Annerose führt ein regelrechtes Doppelleben, wenn sie dem grauen Hausfrauendasein entflieht und sich in symbolträchtige Stilleben aus dem Barock versenkt: Prächtige Blumensträuße, köstliche Speisen und rätselhafte Gegenstände aus vergangenen Jahrhunderten entheben sie dem Alltag. Und wenn sie selbst kleine Idyllen malt, vergißt sie die Welt um sich herum. Doch es lauern Gefahren. In angstvollen Träumen sieht sie Unheil voraus, das sie womöglich durch mangelnde Zuwendung provoziert hat. Gut, daß Annerose Unterstützung durch ihre Halbschwester Ellen erhält, denn der Freundeskreis erweist sich als brüchig. Und dann liegt einer aus der fröhlichen Runde tot im Bett...

»*Röslein rot* hat das, was einen typischen Noll-Roman auszeichnet: schwarzen Humor, charmante Ironie, heitere Abgründigkeit. Die freche Geschichte hat Tempo und eine ungewöhnliche erzählerische Leichtigkeit. Ingrid Noll gehört zu den besten deutschen Erzählern.« *Der Spiegel, Hamburg*

Selige Witwen

Roman

Gute Mädchen kommen in den Himmel, Maja und Cora im Gespann kommen überallhin: Nicht nur in der Toskana gilt es so manche Schlacht um Villen und

Vermögen zu schlagen. Auch in Frankfurt am Main ist das Pflaster hart: Die Freundinnen helfen anderen Frauen im Kampf gegen einen Zuhälter und einen Anwalt mit engsten Verbindungen zum Rotlichtmilieu. Durch spektakuläre Taten macht Maja auch auf Cora wieder Eindruck…
Macht, Männer und Moneten sowie der Traum von einer Alternativfamilie: *Selige Witwen* ist ein Schelminnenroman voll brillanter Coups und Abenteuer.

»Ein bitterböses und zugleich skurril-komisches Kammerspiel um die Abgründe der weiblichen Psyche.«
Dagmar Kaindl/News, Wien

»Die Unverfrorenheit, mit der Ingrid Noll ihre Mörderinnen als verfolgte Unschuld hinstellt, ist grandios. Was für ein subversiver Spaß!«
Wilhelmine König/Der Standard, Wien

»Ein ebenso lustvoller wie boshafter Parforce-Ritt durch die menschlichen Seelenabgründe.«
Brigitte, Hamburg

Rabenbrüder

Roman

Eine schwer durchschaubare Mutter, zwei grundverschiedene Brüder und eine unliebsame Schwiegertochter versammeln sich zum Totenschmaus im Mainzer Elternhaus, nachdem der hypochondrische Vater das Zeitliche gesegnet hat. Aus gutem Grund hat man sich länger nicht gesehen, und kaum ist man wieder beieinander, beginnen alte Konflikte zu schwelen. Ob der Vater auch wirklich ohne Nachhilfe unter die Erde gekommen ist? *Erst vor kurzem hatte die Mutter Paul gestanden, daß sie ein selbstbestimmtes Leben führen wollte. War das etwa kein Mordmotiv?* Die Brüder – der versponnene Paul und der verspielte Achim – entwickeln daraufhin wilde Phantasien, während Schwiegertochter Annette um ihre eigene Ehe pokert…

»Familien sind teuflische Gemeinschaften. Besonders, wenn dabei Ingrid Noll die Hände im Spiel hat. Ingrid Noll erweist sich einmal mehr als Meisterin des schwarzen Humors: ein kriminelles Vergnügen.«
Annabelle, Zürich

Falsche Zungen
Gesammelte Geschichten

Nicht nur um Mord geht es in diesen Geschichten, auch wenn selten alles glimpflich abgeht. Ingrid Nolls Themen sind Mütter mit Macken, lausige Liebhaber und feine Familien. Denn keine Idylle ohne Engelszungen – und falsche Zungen. Zwischen Kleinkrieg und Kindersegen suchen sonderbare Leute nach Liebesglück.

»Ingrid Noll hat in bester Erzählkultur die perfekte Mischung zwischen bürgerlicher Idylle und blankem Grauen gefunden. Sie schleicht sich sanft und freundlich an Grausiges heran. Subtiler Schrecken hinter sauber gewaschenen Gardinen, überraschende Wendungen im Handlungsablauf, dazu die präzise Schilderung einer sozial arrivierten Gesellschaft – der Mix, den ihre Leser und Kritiker lieben.«
Duglore Pizzini/Die Presse, Wien

Die Umschlagillustration von Ingrid Nolls Roman *Lady-like* zeigt einen Ausschnitt aus ›Daughters of Revolution‹, 1932, von Grant Wood

Patricia Highsmith
im Diogenes Verlag

Im Frühling 2002 hat der Diogenes Verlag eine Werkausgabe von Patricia Highsmith mit weltweit unveröffentlichten Stories aus dem Nachlaß und mit Neuübersetzungen ihres zu Lebzeiten erschienenen Werks gestartet (u.a. von Nikolaus Stingl, Melanie Walz, Irene Rumler, Christa E. Seibicke, Dirk van Gunsteren, Werner Richter und Matthias Jendis). Alle Bände in neuer Ausstattung, kritisch durchgesehen nach den Originaltexten und mit einem Nachwort zu Lebens- und Werkgeschichte. Die Edition macht sich erstmals die Aufzeichnungen der Autorin zur Entstehungsgeschichte einzelner Werke, zu Plänen und Inspirationsquellen zunutze und informiert über den schöpferischen Prozeß und über die Lebenszusammenhänge, wie sie sich aus den Notiz- und Tagebüchern der Autorin rekonstruieren lassen.

»Der Diogenes Verlag, lang möge er leben, hat eine Patricia-Highsmith-Werkausgabe gestartet, alle Bände mit hervorragenden Nachworten von Paul Ingendaay. Ein beklemmender Sog, ein Genuß, ein Fest.«
Alex Rühle / Süddeutsche Zeitung, München

»Die Werkausgabe von Patricia Highsmith ist eine verlegerische Großtat.«
Heinrich Detering / Frankfurter Allgemeine Zeitung

»Mit der erstmals vollständig und höchst nuanciert neu übersetzten Werkausgabe kommen auf Highsmith-Leser glänzende Tage zu. Der wahre Genuß. Wir warten schon.«
Tobias Gohlis / Die Zeit, Hamburg

»Obwohl heute eine der weltweit meistgelesenen Schriftstellerinnen der Gegenwart, bleibt das Werk von Patricia Highsmith noch zu entdecken.«
Le Monde, Paris

Werkausgabe in 32 Bänden. Herausgegeben von Paul Ingendaay und Anna von Planta in Zusammenarbeit mit Ina Lannert, Barbara Rohrer und Kate Kingsley Skattebol. Jeder Band mit einem Nachwort von Paul Ingendaay.